小野人　38

世界觀
給孩子的
萬物大地圖

作　　者　雍・理查茲 Jon Richards
繪　　者　艾德・辛金斯 Ed Simkins
譯　　者　羅凡怡

野人文化股份有限公司　　　**讀書共和國出版集團**

社　　長	張瑩瑩	社　　　　長	郭重興
總編輯	蔡麗真	發行人兼出版總監	曾大福
副主編	陳瑾璇	業務平臺總經理	李雪麗
責任編輯	陳韻竹	業務平臺副總經理	李復民
專業校對	林昌榮	實體通路協理	林詩富
行銷企劃	林麗紅	網路暨海外通路協理	張鑫峰
封面設計	周家瑤	特販通路協理	陳綺瑩
內頁排版	洪素貞	印　　　　務	黃禮賢、李孟儒

出　　版	野人文化股份有限公司
發　　行	遠足文化事業股份有限公司
	地址：231新北市新店區民權路108-2號9樓
	電話：（02）2218-1417　傳真：（02）8667-1065
	電子信箱：service@bookrep.com.tw
	網址：www.bookrep.com.tw
	郵撥帳號：19504465遠足文化事業股份有限公司
	客服專線：0800-221-029
法律顧問	華洋法律事務所　蘇文生律師
印　　製	凱林彩印股份有限公司
初　　版	2021年03月

國家圖書館出版品預行編目資料

世界觀．給孩子的萬物大地圖〔50 幅視覺資訊
地圖，建構跨領域多元視角〕/ 雍．理查茲（Jon
Richards〕，艾德．辛金斯（Ed Simkins〕作；羅
凡怡譯 . -- 初版 . -- 新北市：野人文化股份有
限公司出版：遠足文化事業股份有限公司發行，
2021.03
　面；　公分 . --（小野人；38）
譯自：Atlas of everything.
ISBN 978-986-384-473-0〔精裝〕

1. 百科全書 2. 兒童讀物

047　　　　　　　　　　109021251

野人文化
官方網頁

野人文化
讀者回函

世界觀．給孩子的萬物大地圖

線上讀者回函專用 QR CODE，
你的寶貴意見，將是我們進步
的最大動力。

世界觀
給孩子的萬物大地圖

ATLAS OF EVERYTHING

雍・理查茲（Jon Richards）、
艾德・辛金斯（Ed Simkins）著

羅凡怡 譯

野人

目錄

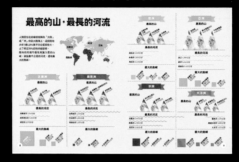

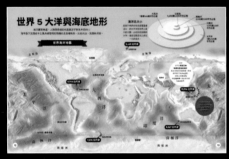

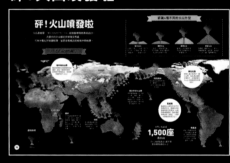

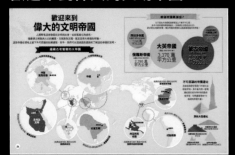

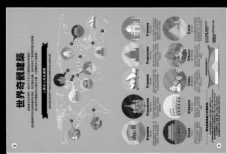

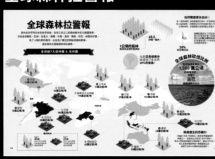

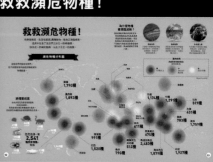

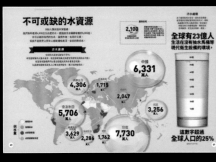

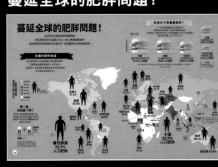
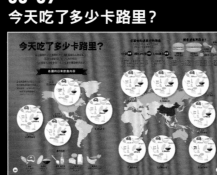

84-85
你會說幾種語言？

86-87
終於放假啦！

88-89
來慶典狂歡吧

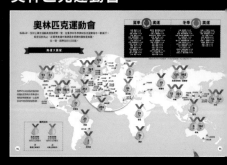

90-91
不同的文化，不同的信仰

92-93
射門，得分！

94-95
奧林匹克運動會

96-97
321，電影開麥拉

98-99
音樂聽到飽

100-101
下一位諾貝爾獎得主在哪裡？

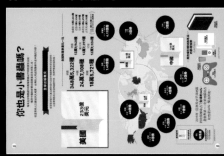

一張圖，看懂地球人的組成比例！

如果我們保留當前的人口特徵，但把全世界人口縮減成由100人組成，那麼最常見的路人大概會是一個住在亞洲的城鎮裡、說著華語、年齡介於15~64歲的人。

他們不具備大學文憑，沒有電腦、網路，也不使用社群媒體。

不過他們應該會有基本的讀寫能力，擁有一支行動電話，

可使用電力和安全的飲水，每天的生活費大概比2美元〔約60元台幣〕多一些。

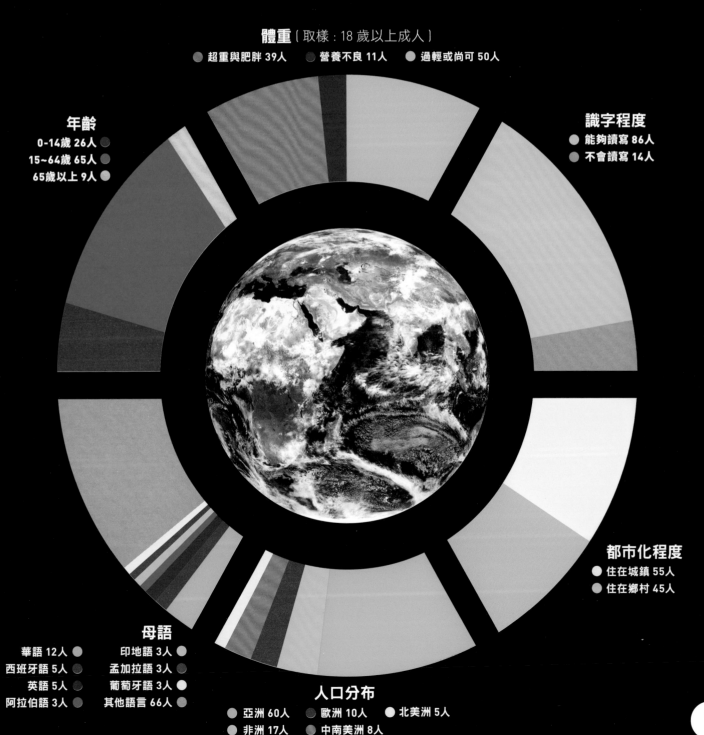

體重〔取樣：18 歲以上成人〕
● 超重與肥胖 39人　● 營養不良 11人　● 過輕或尚可 50人

年齡
0-14歲 26人 ●
15~64歲 65人 ●
65歲以上 9人 ●

識字程度
● 能夠讀寫 86人
● 不會讀寫 14人

都市化程度
● 住在城鎮 55人
● 住在鄉村 45人

母語
華語 12人 ●　印地語 3人 ●
西班牙語 5人 ●　孟加拉語 3人 ●
英語 5人 ●　葡萄牙語 3人 ●
阿拉伯語 3人 ●　其他語言 66人 ●

人口分布
● 亞洲 60人　● 歐洲 10人　● 北美洲 5人
● 非洲 17人　● 中南美洲 8人

最高的山，最長的河流

人類居住在好幾個被稱為「大陸」或「洲」的巨大陸塊上，這些陸地共有1億4,894萬平方公里那麼大，占了將近30%的地球總面積。

陸地的形貌不僅有高聳入雲的山峰、綿延數千公里的河流，還有廣大的島嶼。

北美洲　歐洲　亞洲　非洲　南美洲　大洋洲

北美洲

最高的山

丹奈利峰 6,194公尺
洛干峰 5,959公尺
奧里薩巴山 5,636公尺

最長的河流

密蘇里河 3,767公里

密西西比河 3,766公里

育空河 3,190公里

最大的島嶼

格陵蘭島 216萬6,086 平方公里

巴芬島 50萬7,451 平方公里

艾爾士米爾島 19萬6,235 平方公里

南美洲

最高的山

阿空加瓜山 6,962公尺
奧霍斯一德爾薩拉多山 6,893公尺
皮西斯峰 6,795公尺

最長的河流

亞馬遜河 6,448公里

巴拉那河 4,880公里

馬德拉河 3,250公里

最大的島嶼

大火地島 4萬7,992 平方公里

馬拉若島 100 4萬零 平方公里

奇洛厄島 8,394平方公里

歐洲

最高的山

厄爾布魯
士峰
5,642公尺

卡茲貝克峰
5,047公尺

白朗峰
4,810公尺

最長的河流

窩瓦河 3,530公里

多瑙河 2,850公里

烏拉河 2,428公里

最大的島嶼

大不列顛島
20萬9,331
平方公里

冰島
10萬3,125
平方公里

愛爾蘭島
8萬4,421
平方公里

非洲

最高的山

吉力馬札羅山
5,895公尺

肯亞峰
5,199公尺

馬文濟峰
5,149公尺

最長的河流

尼羅河 6,852公里

剛果河 4,700公里

尼日河 4,184公里

最大的島嶼

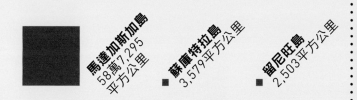

馬達加斯加島
58萬7,295
平方公里

蘇庫特拉島
3,579平方公里

留尼旺島
2,503平方公里

亞洲

最高的山

聖母峰
8,848公尺

喬戈里峰〔K2〕
8,611公尺

干城章嘉峰
8,586公尺

最長的河流

長江 6,380公里

黃河 5,464公里

勒拿河 4,400公里

最大的島嶼

婆羅洲
74萬8,168
平方公里

蘇門答臘島
47萬3,481
平方公里

本州島
22萬7,942
平方公里

大洋洲

最高的山

威廉山
4,509公尺

吉魯韋山
4,367公尺

茂納開亞火山
4,205公尺

最長的河流

墨累河 2,375公里

墨藍比吉河 1,485公里

大令河 1,472公里

最大的島嶼

新幾內亞島
78萬6,000
平方公里

紐西蘭南島
15萬1,215
平方公里

紐西蘭北島
11萬3,729
平方公里

世界 10 大荒漠在哪裡？

年雨量低於250公釐的地區稱為沙漠或荒漠，占據全球三分之一的陸地面積。
有的荒漠氣候寒冷，有的卻非常炎熱，
但共通點是荒漠上多半覆蓋著砂土、岩質灌木叢或是冰雪。

荒漠地帶

大盆地沙漠
北美洲
49萬2,000平方公里 --- (8)

奇瓦瓦沙漠
墨西哥
45萬3,000平方公里 --- (10)

琵拉大沙丘
法國阿卡雄灣
107公尺
★歐洲最高的沙丘

伊斯旺沙海
阿爾及利亞
430公尺
★非洲最高的沙丘

撒哈拉沙漠
非洲
910萬平方公里

**費德里科·
基爾布斯沙丘**
阿根廷
1,230公尺
★世界上最高的沙丘

巴塔哥尼亞沙漠
南美洲
67萬平方公里 --- (5)

── 圖例說明 ──

大沙漠
世界上主要的沙漠分布帶。

荒漠化地區
這些區域通常緊鄰原有的荒漠地帶，瀕臨變成荒漠的危機。

最高的沙丘
當風吹拂過大片砂質地區，就會在地表形成波紋或沙丘，有些沙丘甚至高達數百公尺。

唱歌的沙子

在沙漠裡有時候可以聽到「鳴沙」，那是表層的沙子滾落沙丘時發出的聲響，可能是剛好有人從丘頂走過時，踢落沙子造成的。鳴沙的聲音可能是低頻的隆隆聲，也可能是高達105分貝的刺耳尖響 —— 就和汽車的喇叭聲差不多大聲！

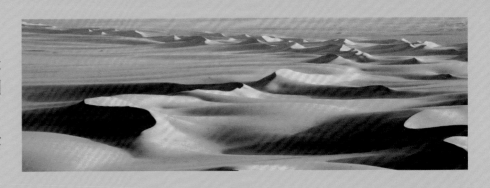

戈壁沙漠
中國和蒙古
130萬平方公里

敘利亞沙漠
阿拉伯半島
50萬平方公里

巴丹吉林沙漠
中國
500公尺
★亞洲最高的沙丘

阿拉伯沙漠
阿拉伯半島
260萬平方公里

大維多利亞沙漠
澳洲
64萬7,000平方公里

喀拉哈里沙漠
非洲
57萬平方公里

南極冰原
南極洲
1,420萬平方公里

摩頓島暴風雨山
澳洲
285公尺
★世界上最高的海岸沙丘

11

世界 5 大洋與海底地形

海洋廣闊無邊，人類探索過的地區甚至不到其中的5%！
海平面下充滿成千上萬未被發現的物種以及各種地形，比如火山、海溝和洋脊。

世界海洋地圖

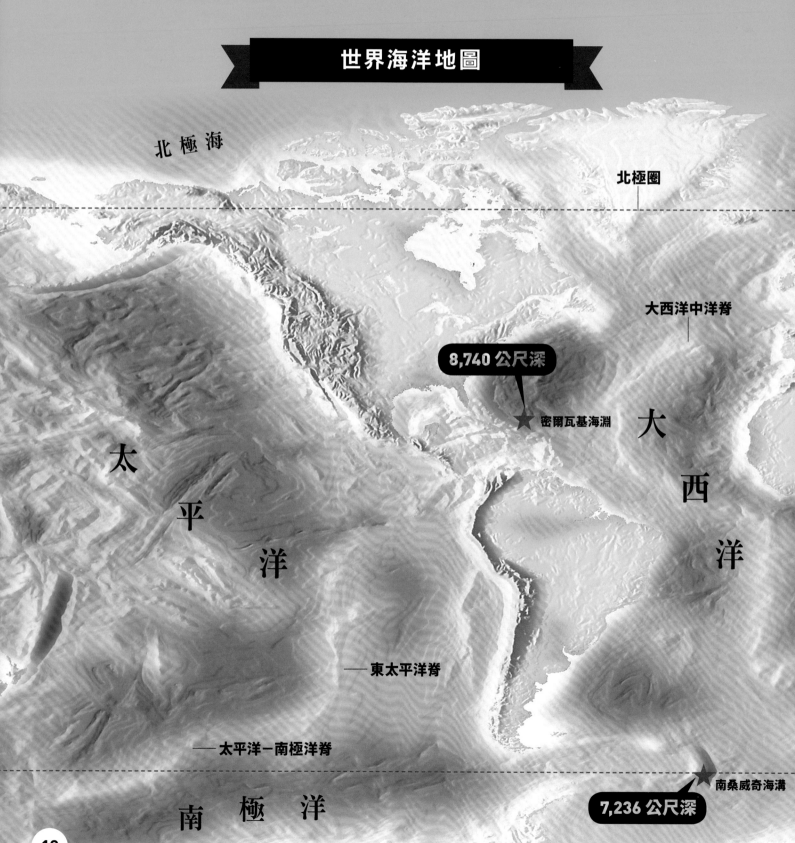

北極海

北極圈

大西洋中洋脊

8,740 公尺深

密爾瓦基海淵

大西洋

太平洋

東太平洋脊

太平洋－南極洋脊

南桑威奇海溝

7,236 公尺深

南極洋

南極洲

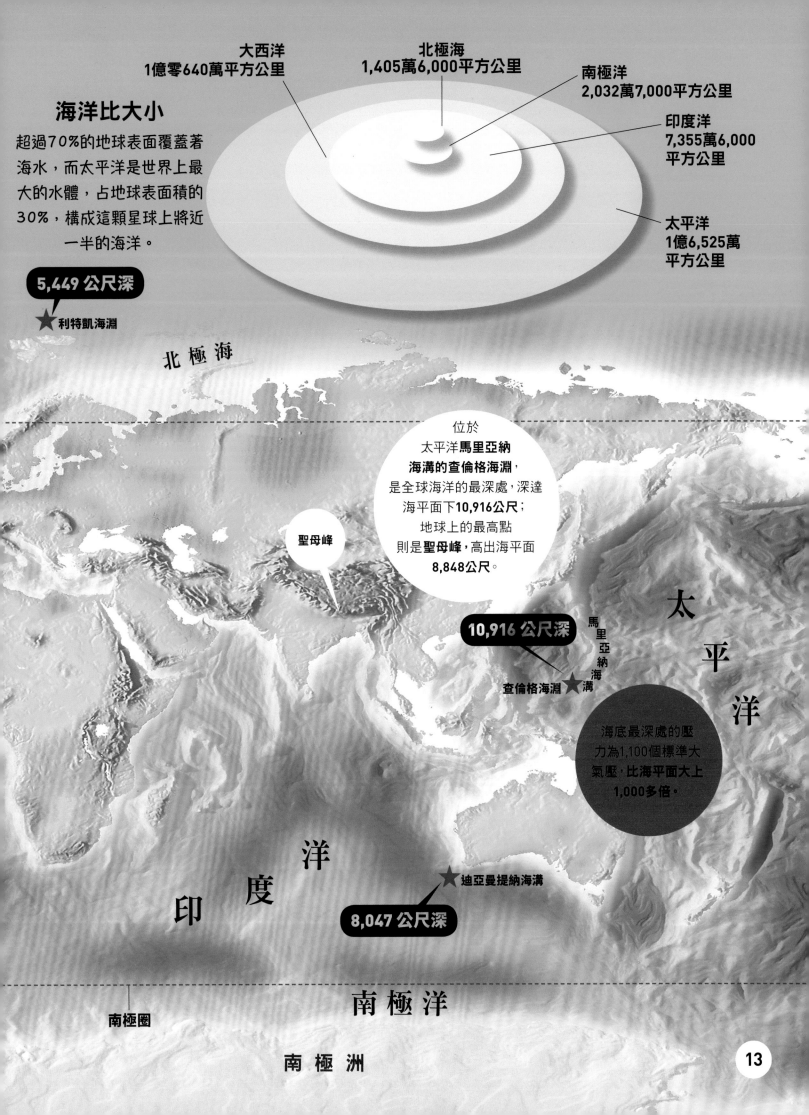

海洋比大小

超過70%的地球表面覆蓋著海水，而太平洋是世界上最大的水體，占地球表面積的30%，構成這顆星球上將近一半的海洋。

大西洋
1億零640萬平方公里

北極海
1,405萬6,000平方公里

南極洋
2,032萬7,000平方公里

印度洋
7,355萬6,000平方公里

太平洋
1億6,525萬平方公里

5,449 公尺深

★ 利特凱海淵

北 極 海

聖母峰

位於太平洋**馬里亞納海溝**的查倫格海淵，是全球海洋的最深處，深達海平面下**10,916公尺**；地球上的最高點則是**聖母峰**，高出海平面**8,848公尺**。

10,916 公尺深

馬里亞納海溝

查倫格海淵 ★

太平洋

海底最深處的壓力為1,100個標準大氣壓，比海平面大上1,000多倍。

★ 迪亞曼提納海溝

8,047 公尺深

印 度 洋

南極圈

南 極 洋

南 極 洲

13

什麼是板塊？什麼是地震？

地球的外殼可以分成好幾大塊，我們稱之為「板塊」。
板塊運動的速度緩慢，包含相互碰撞、推擠或拉扯，
這些移動能夠引發強烈的地震，導致極度嚴重的災害。

全球板塊分布圖

這張地圖顯示了地球上的板塊分布、
板塊移動的方向，以及威力最強大、
最致命的地震帶。

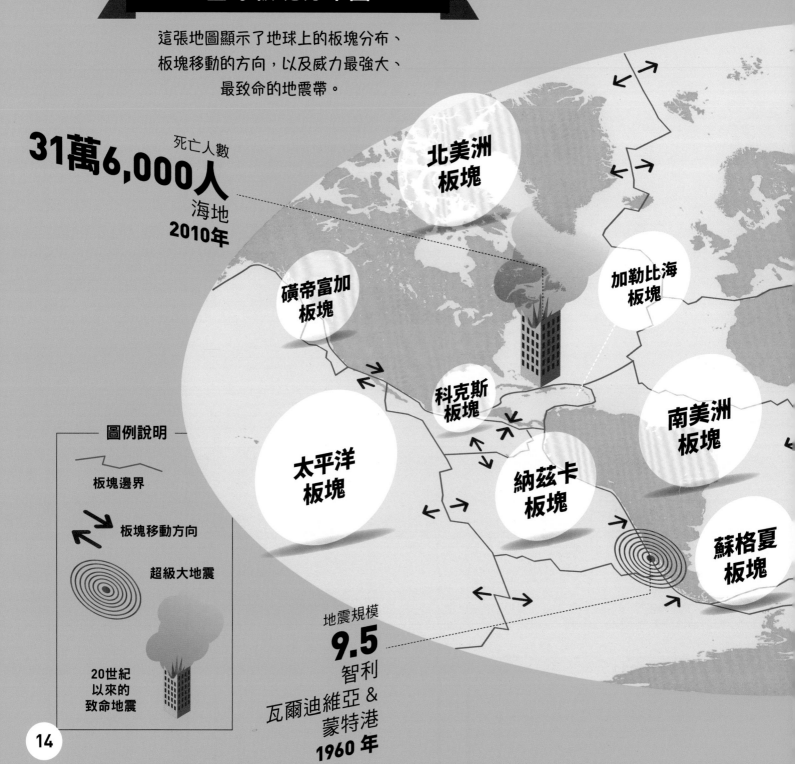

死亡人數
31萬6,000人
海地
2010年

磺帝富加
板塊

北美洲
板塊

加勒比海
板塊

科克斯
板塊

南美洲
板塊

太平洋
板塊

納茲卡
板塊

蘇格夏
板塊

圖例說明

板塊邊界

板塊移動方向

超級大地震

20世紀
以來的
致命地震

地震規模
9.5
智利
瓦爾迪維亞 &
蒙特港
1960 年

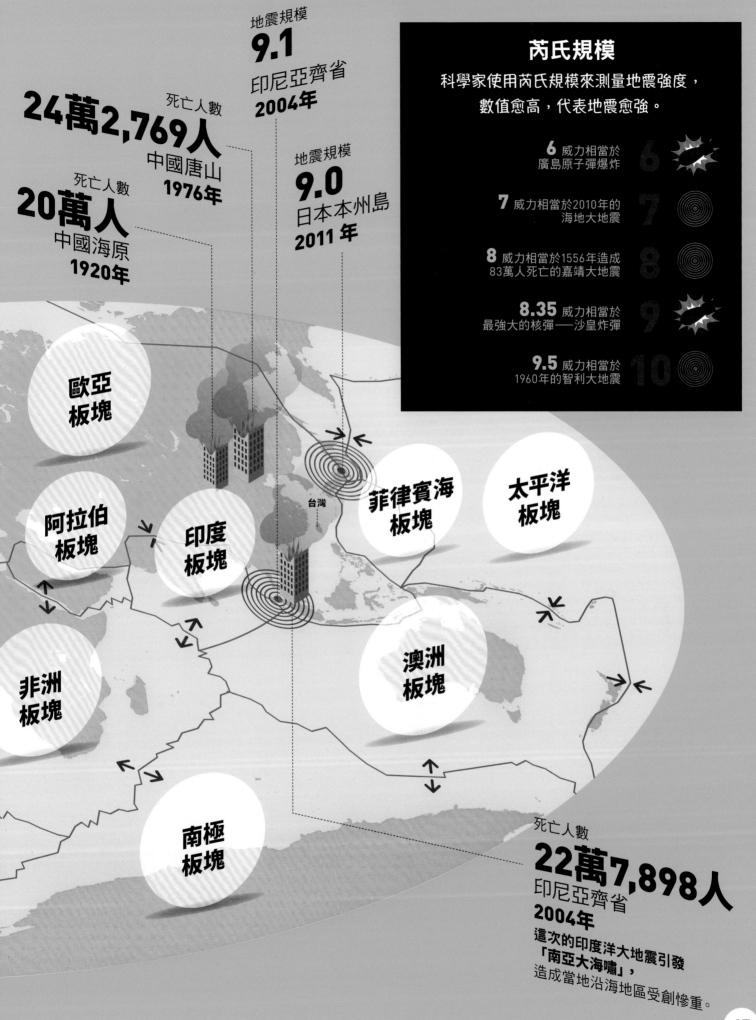

地震規模
9.1
印尼亞齊省
2004年

死亡人數
24萬2,769人
中國唐山
1976年

死亡人數
20萬人
中國海原
1920年

地震規模
9.0
日本本州島
2011年

芮氏規模

科學家使用芮氏規模來測量地震強度，
數值愈高，代表地震愈強。

6 威力相當於
廣島原子彈爆炸

7 威力相當於2010年的
海地大地震

8 威力相當於1556年造成
83萬人死亡的嘉靖大地震

8.35 威力相當於
最強大的核彈——沙皇炸彈

9.5 威力相當於
1960年的智利大地震

歐亞
板塊

阿拉伯
板塊

印度
板塊

台灣

菲律賓海
板塊

太平洋
板塊

非洲
板塊

澳洲
板塊

南極
板塊

死亡人數
22萬7,898人
印尼亞齊省
2004年
這次的印度洋大地震引發
「南亞大海嘯」，
造成當地沿海地區受創慘重。

砰！火山噴發啦

火山是岩漿〔一種溫度超高的熔化岩石〕從地底噴到地表的出口。
大部分的火山都位於板塊交界處，
只有少數位於岩層較薄、岩漿容易噴出的板塊中間地帶。

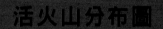

活火山分布圖

地中海火山帶
歐亞板塊和非洲板塊相互碰
撞時，產生了斷裂與裂隙，
岩漿從中噴發而出，在南歐
多處形成了火山。

西伯利亞

帶山

吉力馬札羅山

東非
非洲板塊的東側仍不斷
在分裂，形成一條巨大
的裂隙，稱為「東非大
裂谷」。吉力馬札羅山
就位於此處，這是一座
休眠火山，也是非洲最
高峰。

印尼
澳洲板塊和歐亞板
塊相互擠壓，在印
尼南邊形成了一連
串的火山。

圖例說明

活火山

16

破火山口

這種火山的火山口是一個巨大的凹地，就像碗一樣，是火山噴發後火山口崩塌造成的。

盾狀火山

盾狀火山的坡度平緩、地形寬廣，是由流動性高的岩漿冷卻後形成的。

圓頂火山

圓頂火山是流動性低的岩漿冷卻後所形成的圓型小丘。

複合火山

又稱為「層狀火山」，是火山連續爆發後，由岩漿、岩石和火山灰一層一層堆積而成。

黃石公園

地球上最大的其中一個火山帶，就在黃石國家公園底下。這個超級大火山上次噴發是在60萬年前。

阿拉斯加

阿拉斯加延伸到西伯利亞一連串的火山，是由北太平洋的板塊活動所形成的。

環太平洋火山帶

我們將圍繞著太平洋的火山群，稱為「環太平洋火山帶」。東側火山帶是由太平洋板塊、菲律賓海板塊和北美板塊的活動所形成的。

夏威夷

夏威夷火山群位於太平洋板塊的中央，距離任何板塊邊界都非常遙遠。此處的板塊相當薄，產生讓岩漿噴出的「熱點」，岩漿冷卻後就形成火山。

環太平洋

世界上有超過

1,500座

活火山

活火山就是過去1萬年間曾經噴發過的火山。

安地斯山脈

納茲卡板塊和南美洲板塊相互碰撞時，納茲卡板塊隱沒到南美洲板塊下方，形成了安地斯山脈的火山群。

難以預料的自然災害

季節性的極端降雨和氣溫，會形成強烈的風暴，

造成人類和環境極大的損失。

其他致命的天災還包括：雪崩、海嘯〔由強烈地震引發〕……等。

史上最嚴重的天災

熱浪
美國，1980年6~8月
氣溫高達40°C
近 5,000 人喪生

阿爾卑斯山提洛爾地區雪崩
義大利，1916年
1 萬人喪生

熱浪
歐洲，2003年6~8月
氣溫高達47°C
7 萬人喪生

瓦斯卡蘭山雪崩
祕魯，1970年
2 萬人喪生

瓦斯卡蘭山雪崩
祕魯，1962年
4,000人喪生

密契颶風
中美洲、美國佛羅里達，1998年
1 萬 1,000 人喪生

海嘯
葡萄牙，1755年11月
浪高20公尺
6 萬人喪生

海嘯
印尼，2004年12月
浪高30公尺
22 萬 7,898 人喪生

印尼，1883年8月
浪高40公尺
3 萬 6,000 人喪生

圖例說明

最致命的
颱風、颶風
與熱帶氣旋

最致命的
熱浪

最致命的
海嘯

最致命的
雪崩

致命天災的類型

以下將介紹什麼是颱風、熱浪、雪崩、
海嘯。除此之外，天然災害還包括：
地震、火山爆發、洪水、暴風雪、
乾旱、龍捲風、野火，甚至是隕石撞擊。

颱風、颶風、熱帶氣旋
我們稱大型、漩渦狀的風暴為熱帶
氣旋、颱風或颶風，它們的直徑有
時可達數百公里。

雪崩
大量積雪崩塌、衝下山坡，
就會形成雪崩，雪崩的移動速度
可達每小時400公里。

熱浪
熱浪是指持續一段時間的異常高溫，
常引發火災，對於老人和小孩等
身體較虛弱的族群威脅極大。

海嘯
海嘯通常是地震和海底火山噴發引起的
滔天巨浪。巨浪會撲向沿岸陸地，
摧毀一切，最後席捲而去，退回海中。

熱浪
俄羅斯，2010年7~9月
氣溫高達44°C
5 萬 6,000 人喪生

熱浪
印度，2015年5~6月，
氣溫高達48°C
約 2,000 人喪生

波拉氣旋
孟加拉，1970年
50 萬人喪生

孟加拉氣旋
孟加拉，1991年
13 萬 8,866 人喪生

熱浪
日本，2010年7~9月
氣溫高達39.7°C
1,731 人喪生

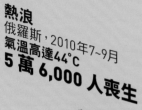

海嘯
日本，1498年9月
浪高10~20公尺
3 萬 1,000 人喪生

日本，2011年3月
浪高10公尺
1 萬 8,000 人喪生

超級強烈颱風妮娜
中國，1975年
22 萬 9,000 人喪生

納吉斯氣旋
緬甸，2008年
13 萬 8,366 人喪生

縱觀 6 大洲：
國土、人口比大小

世界由數個巨大陸塊組成，
可以分為6大洲。
全球超過77億的人口，
大約6成都居住在亞洲地區，
所以全球人口並非均勻分布在各洲！

〔資料年分：2019年〕

北美洲	南美洲

國家數

26國

國家數

16國

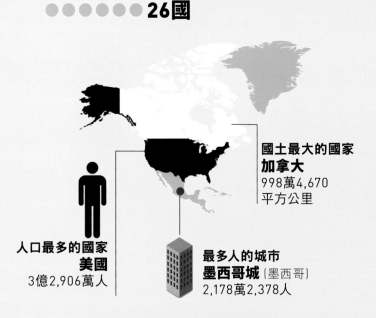

國土最大的國家
加拿大
998萬4,670
平方公里

人口最多的國家
美國
3億2,906萬人

最多人的城市
墨西哥城〔墨西哥〕
2,178萬2,378人

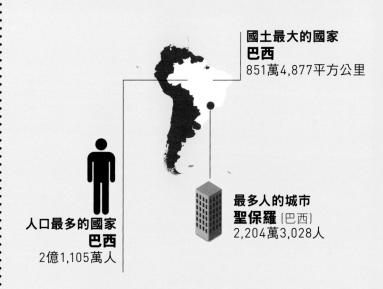

國土最大的國家
巴西
851萬4,877平方公里

人口最多的國家
巴西
2億1,105萬人

最多人的城市
聖保羅〔巴西〕
2,204萬3,028人

總面積
2,470萬9,000平方公里

總人口
5億8,753萬人

總面積
1,784萬平方公里

總人口
4億2,718萬人

歐洲

國家數

●●●●●●●●●●●●●●●●
●●●●●●●●●●●●●●●●
●●●●●●●●●●●●●●●
47國

人口最多的國家
俄羅斯
1億4,587萬人

國土最大的國家
俄羅斯〔合計歐亞兩洲
國土面積〕
1,709萬8,242平方公里

最多人的城市
莫斯科〔俄羅斯〕
1,253萬7,954人

總面積
1,018萬平方公里

總人口
7億4,718萬人

亞洲

國家數

●●●●●●●●●●●●●●●●
●●●●●●●●●●●●●●●●
●●●●●●●●●●●●●●●●●●●●
52國

人口最多的國家
中國
14億3,400萬人

國土最大的國家
俄羅斯〔合計歐亞
兩洲國土面積〕
1,709萬8,242
平方公里

最多人的城市
東京〔日本〕
3,739萬3,128人

總面積
4,457萬9,000平方公里

總人口
46億人

* 台灣:國土面積
3萬6,197平方公里/
人口2,356萬人/
新北市403萬人

非洲

國家數

57國

國土最大的國家
阿爾及利亞
238萬1,741平方公里

最多人的城市
開羅〔埃及〕
2,090萬零604人

人口最多的國家
奈及利亞
2億零96萬人

總面積
3,022萬1,532平方公里

總人口
13億1,000萬人

大洋洲

國家數

●●●●●●●●●●●●●●●●●●●
19國

國土最大的國家
澳洲
7,741,220平方公里

人口最多的國家
澳洲
2,520萬人

最多人的城市
墨爾本〔澳洲〕
496萬7,733人

總面積
852萬5,989平方公里

總人口
4,213萬人

探索人類起源：
我們都是非洲人？

「智人」〔*Homo sapiens*〕又稱現代智人，

大約20萬年前首次出現在非洲，經過13~14萬年後，才開始踏出非洲大陸，

大約在5萬年前抵達東南亞和澳洲。

現代智人的遷徙路線

為了追求食物及安居之地，
人類開始踏出非洲，遷徙到世界各地。

人類的搖籃
目前已知最早的人類遺跡出現在東非大裂谷，現代人就是從這裡出發，拓展到地球上的各個角落。

歐洲

亞洲

4萬年前

2.5萬年前

6萬年前

5萬年前

16萬年前

19.5萬年前

6.5萬年前

15.5萬年前

非洲

登陸澳洲
大約在5萬年前的冰河時期，大量海水凍結成冰，海平面因此大幅下降，大陸間也出現相連的陸橋，讓人類從東南亞走到了澳洲。

圖例說明

🕱 人類遺跡
19.5萬年前

🚶 遷徙年代
6.5萬年前

→ 遷徙路線

⇢ 其他可能的遷徙路線

時間軸

現代智人
現身非洲

20萬年前

8萬年前

冰河期
開始

非洲人口暴增

7萬8,000年前

現代智人開始踏出非洲大陸

現代智人散布整個東南亞

6萬5,000年前

人類的演化譜系圖

人類的祖先最早出現在距今600萬年前，期間曾演化出幾個不同的族群，直到200萬年前我們的直系祖先人屬（*Homo*）才出現。

地猿屬
是最早能夠直立行走，而且和人類血緣最接近的靈長類。

約550萬年前
演化出4個物種

南方古猿屬
能直立行走，也會爬樹。

約385萬年前
演化出4個物種

約230萬年前
演化出3個物種

傍人屬
擁有巨大牙齒和強壯下顎的早期人類。

人屬
擁有較大的腦容量，且會使用工具。

智人

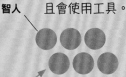

約190萬年前
演化出6個物種

美洲

1.6萬
年前

1.6萬
年前

陸橋
大約在1萬6,000年前，西伯利亞和美洲之間的大陸露出，形成陸橋，成為大批動物的遷徙途徑，人類也隨之跨越陸橋，來到美洲。

夏威夷

密克羅尼西亞

美拉尼西亞

5萬
年前　澳洲

成就解鎖：穿越太平洋

人類在東南亞和澳洲大陸定居下來後，第一次面對廣闊無邊的太平洋。儘管太平洋的寬度超過5,000公里，4,000年前的人類移民仍勇猛地展開了史詩般的大航海旅程，足跡深入密克羅尼西亞和美拉尼西亞，直到14世紀初期抵達夏威夷和復活節島後才停下來。

復活節島

1.5萬
年前

現代智人抵達澳洲大陸	現代智人遷居歐洲大陸	現代智人在美洲定居	冰河期結束
5萬年前	3萬5,000年前	2萬年前	8,000年前 現在

歡迎來到
偉大的文明帝國

人類聚落逐漸發展出文明與社會，從部落進化為城市，
隨著領土規模與人口的擴張，又拓展為王國，甚至是更大規模的帝國。
這些帝國在領地上留下不可思議的壯麗建築，如今，我們可以透過這些遺跡來了解這些帝國的文明。

蘊藏古老智慧的大帝國

西元962~西元1806年・代表性首都維也納

神聖
羅馬帝國 ●維也納

西元前221~西元1911年・代表性首都北京

中國　北京
●

西元前3150~西元前30年・首都孟斐斯

孟斐斯
●

古埃及
文明

●佩特拉
納巴泰
王國

華氏城
●

孔雀王朝

約西元前300~西元106年
首都佩特拉

西元前322~西元前185年・首都華氏城

哪個帝國最強盛？

以下這些大帝國幅員都廣及上千萬平方公里，
其中大英帝國的總面積最大，但是領土分散在各大洲；
若以領土完整性來看，蒙古帝國則是歷史上版圖面積最大的帝國。

西班牙帝國
〔西元 1492-1898 年〕
1,940 萬
平方公里

**伊斯蘭帝國的
伍麥葉王朝**
〔西元 661-751 年〕
1,500 萬
平方公里

俄羅斯帝國
〔西元 1723-1917 年〕
2,280 萬
平方公里

大英帝國
〔西元 1597-1997 年〕
3,370 萬
平方公里

蒙古帝國
〔西元 1206-1368 年〕
3,300 萬
平方公里

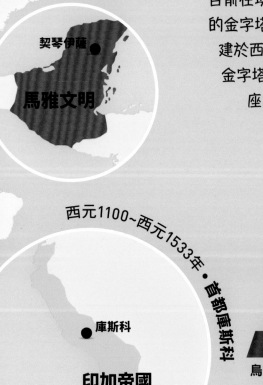

約西元前2000~西元1697年
首都契琴伊薩

契琴伊薩 ●
馬雅文明

不可思議的帝國遺址

目前在埃及已發現130座以上
的金字塔，其中最大的一座是
建於西元前2580年的胡夫
金字塔，它的重量等於16
座紐約帝國大廈。

西元1100~西元1533年・首都庫斯科

庫斯科 ●
印加帝國

其他大型遺址

特諾奇提特蘭
**阿茲特克
帝國**

大約西元1300~西元1521年
首都特諾奇提特蘭

特奧蒂瓦坎遺跡
〔西元100年〕墨西哥

烏爾塔廟〔西元前2000年〕
伊拉克

麥羅埃金字塔群
〔西元前280年〕蘇丹

契琴伊薩遺跡
〔約西元1000年〕瓜地馬拉

國王，總統，還是總書記？

不同的政府體制賦予人民不同程度參與政治的權利，
在民主國家中，人民可以投票選出他們的領導人，
但是在君主專制或是一黨專政的國家裡，人民卻沒有選擇的權利。

各國政府類型

透過這張地圖，我們可以認識
各個國家的政府類型。

瑞士
這個位於阿爾卑斯山區
的國家，採用聯邦政府
系統，由26個行政區
組成。瑞士並沒有全職
專責的總統，而是將總
統的職責交由聯邦政府
的部門首長輪流執行。

英國

西班牙

美國

古巴

喀麥隆

政府的類型

- ⬤ **共和體制**〔例如：美國、印度〕
- ⬤ **君主立憲制**〔例如：英國、西班牙〕
- ⬤ **君主專制制**〔例如：阿拉伯聯合大公國、汶萊〕
- ⚪ **一黨專政制**〔例如：中國、北韓〕
- ⚪ **其他政府系統**〔例如：瑞士〕

世界上有將近75%的國家政府屬於共和體制，
包含台灣也是。

 146 個國家   **38** 個國家   **6** 個國家   **7** 個國家   **1** 個國家

最長的總統任期

喀麥隆總統保羅比亞是所有
非王室國家領袖中，統治國
家最長久的紀錄保持人。自
從他於1975年6月30日掌
權以來，美國已輪替過9位
總統。

53 個 1900年

27 個 2020年

世界上的君主數量

在位最久的
君主

1

索布札二世
史瓦濟蘭
1899 年 12 月 ~
1982 年 8 月
**在位 82 年又
254 天**

2

利珮的伯納德七世
神聖羅馬帝國
1429 年 8 月 ~1511 年 4 月
在位 81 年又 234 天

3

**亨內貝格 - 施洛辛根的
威廉四世**
神聖羅馬帝國
1480 年 5 月 ~1559 年 1 月
在位 78 年又 243 天

中國

印度

寮國

北韓

越南

汶萊

阿拉伯
聯合大公國

紐西蘭

最早的婦女投票權
西元1893年，紐西蘭
成為第一個女性擁有投
票權的國家。

當今共產國家
多在亞洲

目前全球共有5個國家奉行共
產主義，而且都由單一政黨
執政，分別是中國、古巴、
寮國、北韓和越南。這些國
家的中央政府掌握了境內絕
大多數的工業資源，權力非
常強大。

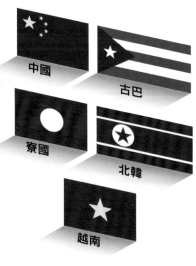

中國

古巴

寮國

北韓

越南

世界奇觀建築

談起偉大的文明時，都少不了令人印象深刻的代表建築，這些建築有的作為敬神禮拜的場地，有的提供庇護，有的則是為了展現國家實力而興建。

當今世界的建築則多以摩天大樓、大型購物中心為指標。

人類史上知名建築

這張地圖告訴我們15個世界上知名的建築與名勝古蹟的位置。

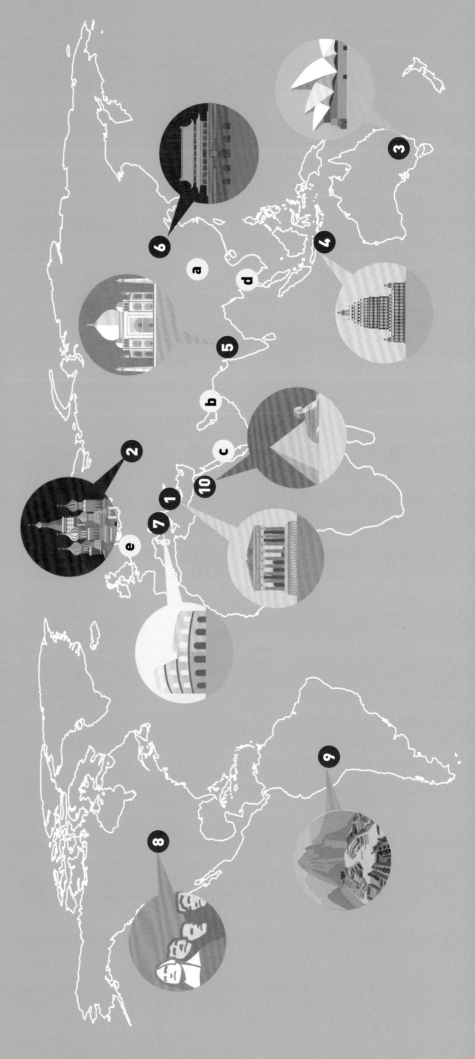

① 帕德嫩神廟
希臘·雅典

帕德嫩神廟建造於西元前432年，是女神雅典娜的神廟，位於雅典衛城上的衛城，可俯瞰整座城市。

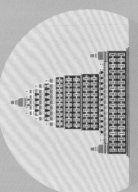

② 聖瓦西里大教堂
俄羅斯·莫斯科

這座色彩鮮豔的大教堂建於西元1561年，位於莫斯科紅場，臨近克里姆林宮，現在當作博物館使用。

③ 雪梨歌劇院
澳洲·雪梨

這座表演藝術中心位在雪梨的碼頭邊，西元1973年落成後，立刻成為澳洲最著名的建築。

④ 普蘭巴南寺廟群
印尼·中爪哇

建造於約西元850年，是印尼最大的印度教寺廟建築群，具有精美複雜的石雕，以及高達47公尺的螺旋尖塔。

⑤ 泰姬瑪哈陵
印度·亞格拉

西元17世紀中期，沙賈汗統治了印度大半國土，泰姬瑪哈是他最鍾愛的第三任妻子墓之名，瑪哈陵於1654年建成。

⑥ 紫禁城
中國·北京

建於西元1420年（明成祖永樂年間），有9,000個房間，總面積有20個足球場那麼大，是世界上最大的宮殿建築群。

⑦ 羅馬競技場
義大利·羅馬

建於西元80年，是羅馬帝國最大的圓形劇場，可以容納超過5萬名觀眾，且能裝設巨型遮陽棚。

⑧ 總統山
美國·南達科他州

這座巨型雕像完成於西元1941年，4位美國總統的頭像直接刻在山頭上，每座頭像大約有18公尺高。

⑨ 馬丘比丘
祕魯·庫斯科地區

這座城市建於西元1450年左右，在西班牙人登陸南美洲後不久，便遭到遺棄，直到1911年才重新被發現。

⑩ 金字塔
埃及·吉薩

這3座位於吉薩的巨型金字塔建於西元前2500年左右，是一個大型墓葬建築群的一部分。巨大的人面獅身像就坐在金字塔的正前方。

樓地板面積最大的建築物

a 新世紀環球購物中心（中國·成都）176萬平方公尺
b 杜拜國際機場第三航廈（阿拉伯聯合大公國·杜拜）171萬3,000平方公尺
c 麥加皇家鐘塔飯店（沙烏地阿拉伯·麥加）157萬5,815平方公尺
d 中央世界購物中心（泰國·曼谷）102萬4,000平方公尺
e 阿斯米爾美爾花拍賣市場（荷蘭·阿斯米爾）99萬平方公尺

成都新世紀環球購物中心

於2013年開幕，建築長500公尺，寬400公尺，高100公尺。

這座購物中心大到可以塞下20個雪梨歌劇院。

摩天大樓的身高競賽

由於城市的空間有限，建築師與都市計畫技師選擇用「向上發展」取代「分散式建設」，
因此設計出數十層樓高的高樓大廈。

隨著技術進步，如今我們已經可以建造出高達1,000公尺、超過百層的摩天大樓了！

各洲高樓比一比

威利斯大廈
美國，芝加哥
442 公尺

**世界貿易中心
一號大樓**
美國，紐約
541 公尺

碎片大廈
英國，倫敦
306 公尺

巴伊亞塔
阿爾及內亞，奧宏
175 公尺

**中央公園
東塔大樓**
委內瑞拉，卡拉卡斯
225 公尺

大聖地牙哥塔
智利，聖地牙哥
300公尺

卡爾登中心
南非，約翰尼斯堡
223 公尺

圖例說明

- 北美洲
- 歐洲
- 亞洲 [●中國]
- 南美洲
- 非洲
- 大洋洲

最近十幾年建造的摩天大樓，有許多位於中東和俄羅斯。中東包含西亞和部分北非地區富含石油的國家，熱中將財富投資在巨型建築上。2020年「歐洲10大最高建築」名單中，俄羅斯的首都莫斯科就包辦了7棟。

王國塔

王國塔又稱吉達塔，位於沙烏地阿拉伯吉達市，目前還在建造中，預計完工之後將成為世界第一高樓，樓高1,000公尺。王國塔包含地上167層、地下4層，共57座電梯、530間公寓、200間旅館房間，以及3,190個汽車停車位。

王國塔
沙烏地阿拉伯
吉達
預計1,000公尺

蓋最多摩天大樓的國家

中國是目前世界上擁有最多150公尺以上高樓的國家。

中國 **2177棟**
美國 **807棟**
日本 **257棟**
阿拉伯聯合大公國 **253棟**
南韓 **221棟**

(*台灣 65棟)

(資料年分:2020年)

哈里發塔
阿拉伯聯合大公國
杜拜
828公尺
★目前世界最高樓

拉赫塔中心
羅斯，聖彼得堡
62 公尺

水銀城市大廈
俄羅斯，莫斯科
339 公尺

哈里發塔
阿拉伯聯合大公國，
杜拜
828 公尺

上海中心大廈
中國，上海
632 公尺

深圳
重慶
廣州
香港
東京

台北 101
台灣，台北
508 公尺

尤里卡大樓
澳洲，墨爾本
297 公尺

昆士蘭第一大廈
澳洲，黃金海岸市
322 公尺

誰是世界上最多高樓的城市?

下列城市擁有比其他城市更多的高樓大廈。以下數字代表該城市樓高超過150公尺的大樓數量。

香港 **355棟**

紐約 **284棟**

深圳 **283棟**

杜拜 **200棟**
上海 **163棟**
東京 **157棟**
重慶 **127棟**
芝加哥 **126棟**
廣州 **118棟**

(資料年分:2020年)

2100 年
世界人口大爆炸！

健保醫療水準、新生兒數目、人民的壽命長短或富裕程度，這些因素都會影響人口成長的速度。

未來，某些地區人口會快速增加，有些地區則預期會減少。

全球人口最多的國家

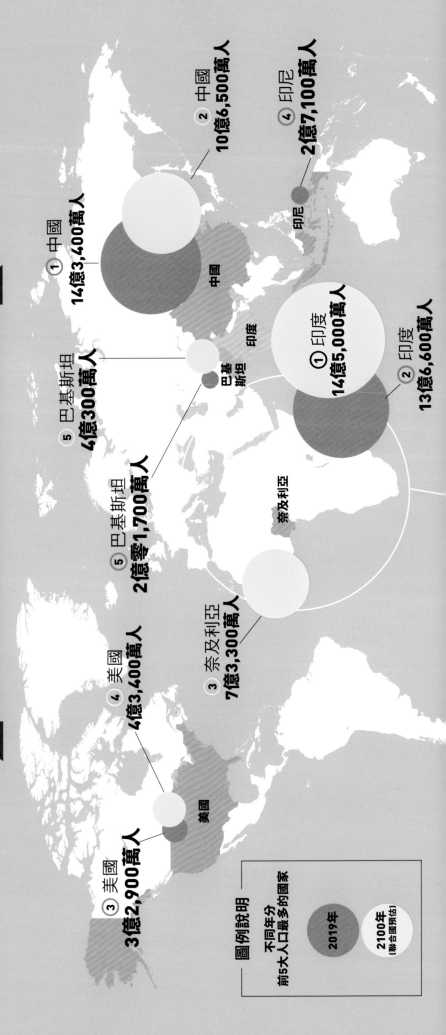

② 中國
10億6,500萬人

④ 印尼
2億7,100萬人

① 中國
14億3,400萬人

⑤ 巴基斯坦
4億300萬人

① 印度
14億5,000萬人

② 印度
13億6,600萬人

⑤ 巴基斯坦
2億零1,700萬人

③ 奈及利亞
7億3,300萬人

④ 美國
4億300萬人

③ 美國
3億2,900萬人

圖例說明
不同年分
前5大人口最多的國家

2019年

2100年
（聯合國預估）

32

10大人口增長最快的國家

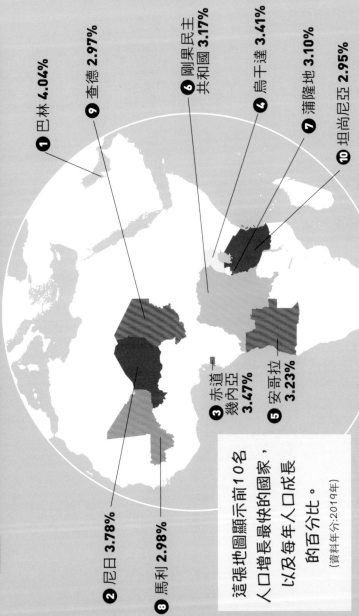

❶ 巴林 4.04%
❾ 查德 2.97%
❻ 剛果民主共和國 3.17%
❹ 烏干達 3.41%
❼ 蒲隆地 3.10%
❿ 坦尚尼亞 2.95%
❸ 赤道幾內亞 3.47%
❺ 安哥拉 3.23%
❷ 尼日 3.78%
❽ 馬利 2.98%

這張地圖顯示了前10名人口增長最快的國家，以及每年人口成長的百分比。

(資料年份:2019年)

生育率

婦女一生中生育子女的平均數量稱為「生育率」。生育率高，代表該國人口正在快速增加。下方圖示即為世界上出生率最高和最低的國家。

生育率最高的國家

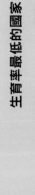 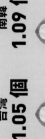   

尼日 6.82 個

索馬利亞 5.98 個

生育率最低的國家

台灣 1.05 個

南韓 1.09 個

(資料年份:2019年)

非洲人口愈來愈多

由於人口快速增加的國家大多位於非洲，未來80年裡，非洲人口將會暴增，預計2100年該區人口數是目前的近3倍。

2019年至2100年各大洲的預估人口

非洲人 13.4億
歐洲人 7.5億
亞洲人 45.5億
大洋洲人 4,300萬
北美洲人 3.7億
南美洲人 4.3億

2019年人口數

非洲人 44.7億
歐洲人 6.3億
亞洲人 4,700萬
大洋洲人 5,700萬
北美洲人 4.9億
南美洲人 5.1億

2100年人口數 (聯合國預測值)

大家族還是小家庭？

世界各地的財富水準差異極大，一般來說，當富裕國家的人口成長速度比貧窮國家慢很多。貧窮國家(例如布吉納法索)比富裕國家(例如美國)人民的家庭成員更多，這是為了增加賺錢養家的勞動力，而年紀較大的兒童也能協助照顧年老人和幼兒。

美國
家庭成員平均人數 2.6人

布吉納法索
家庭成員平均人數 5.7人

33

寶寶熱門名字世界排行榜

全世界每天大約有35萬3,000名嬰兒誕生，
等於每秒有超過4名新生兒呱呱墜地。
寶寶的命名會因為性別、出生的國家與宗教信仰的差異而有所不同。

世界各地最受歡迎的寶寶名字

從這張地圖，我們可以看出世界
各國最熱門的寶寶名字，
以及最常見的姓氏。

Emma
Olivia
Sophia
Zoe
Emily

Liam
Jackson
Logan
Lucas
Noah

加拿大

Emma
Olivia
Sophia
Ava
Mia

Liam
Noah
Ethan
Mason
Lucas

美國

美國
史密斯
Smith

Fatima
Khadija
Aicha
Malika
Naima

Mohamed
Ahmed
Mohammed
Said
Rachid

圖例說明

熱門女孩名

熱門男孩名

國家
最常見的
姓氏

最常見的姓氏
姓氏的分布與擴散和每個
國家的歷史有關。舉例來
說，在18、19世紀時，
大英帝國大規模拓展殖民
地，讓英國姓氏（例如Smith）
在全球英語系國家開枝散葉。

墨西哥
馬丁尼茲
Martinez

巴西

Sophia
Julia
Alice
Manuela
Isabella

Miguel
David
Arthur
Gabriel
Pedro

巴西
席爾瓦
Silva

目前已知世界上名字最長的人，是一位來自英國哈特浦的女性，她為了籌措善款而不斷更改名字。以下是她的全名：

Red – Wacky League – Antlez – Broke the Stereo – Neon Tide – Bring Back Honesty – Coalition – Feedback – Hand of Aces – Keep Going Captain – Let's Pretend – Lost State of Dance – Paper Taxis – Lunar Road – Up! Down! Strange! – All and I – Neon Sheep – Eve Hornby – Faye Bradley – AJ Wilde – Michael Rice – Dion Watts – Matthew Appleyard – John Ashurst – Lauren Swales – Zoe Angus – Jaspreet Singh – Emma Matthews – Nicola Brown – Leanne Pickering – Victoria Davies – Rachel Burnside – Gil Parker – Freya Watson – Alisha Watts – James Pearson – Jacob Sotheran–Darley – Beth Lowery – Jasmine Hewitt – Chloe Gibson – Molly Farquhar – Lewis Murphy – Abbie Coulson – Nick Davies – Harvey Parker – Kyran Williamson – Michael Anderson – Bethany Murray – Sophie Hamilton – Amy Wilkins – Emma Simpson – Liam Wales – Jacob Bartram – Alex Hooks – Rebecca Miller – Caitlin Miller – Sean McCloskey – Dominic Parker – Abbey Sharpe – Elena Larkin – Rebecca Simpson – Nick Dixon – Abbie Farrelly – Liam Grieves – Casey Smith – Liam Downing – Ben Wignall – Elizabeth Hann – Danielle Walker – Lauren Glen – James Johnson – Ben Ervine – Kate Burton – James Hudson – Daniel Mayes – Matthew Kitching – Josh Bennett – Evolution – Dreams.

英國 史密斯 Smith

Amelia	Oliver
Olivia	Jack
Isla	Harry
Emily	Jacob
Poppy	Charlie

愛爾蘭 墨菲 Murphy

法國 馬丁 Martin

西班牙 賈西亞 García

德國 穆勒 Müller

義大利 羅西 Rossi

Sofia	Francesco
Giulia	Alessandro
Aurora	Lorenzo
Giorgia	Andrea
Martina	Leonardo

凜 陽 葵 結 愛 杏 紬 蓮 陽 翔 新 湊 蒼

俄羅斯 史米爾諾夫 Smirnov

Sofia	Alexander
Maria	Maxim
Anastasia	Artem
Anna	Mikhail
Yelizaveta	Ivan

台灣 陳

日本 佐藤

Aadya	Aarav
Diya	Reyansh
Saanvi	Mohammad
Amaira	Vivaan
Angel	Ayaan

詠晴 承恩
子晴 宥廷
品妍 品睿
品妤 宸睿
羽彤 承翰

摩洛哥

奈及利亞

青亞

Esther	Emmanuel
Abigail	Michael
Rose	Victor
Stephanie	Peter
Temitope	Kingsley

Faith	John
Winnie	James
Linda	Martin
Sharon	David
Anne	Joseph

澳洲

澳洲 史密斯 Smith

Olivia	Oliver
Charlotte	William
Mia	Jack
Ava	Noah
Amelia	Jackson

英國 義大利 印度 俄羅斯 台灣 日本

碳排大國＝人口大國？

二氧化碳 (CO_2) 原本就存在於大自然裡，
也因能源生產和工業等人類活動而排放到大氣中，
是最常見的溫室氣體，更成為影響氣候變遷的主因。

全球碳排放量TOP 6國家

從這張地圖中，
我們可得知世界TOP 6
人口數最多的國家、
排放最多二氧化碳的國家、
人均二氧化碳排放量最高的國家。

2. 美國
54.1億公噸

③ 美國
3.3億人

❷ 千里達及
托巴哥共和國
27公噸/人

圖例說明

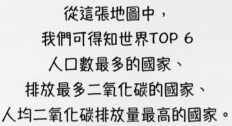

**TOP 6
全球最大汙染國
與年碳排量**

這些國家因為人口眾多，因此二
氧化碳排放量也很高。

**TOP 6
人口最多的
國家**

**TOP 6
人均二氧化碳
排放最高的國家**

平均每人製造最多汙染的國
家，通常是仰賴石化產業的小
型國家。

⑥ 巴西
2.1億人

（資料年分: 2019年）

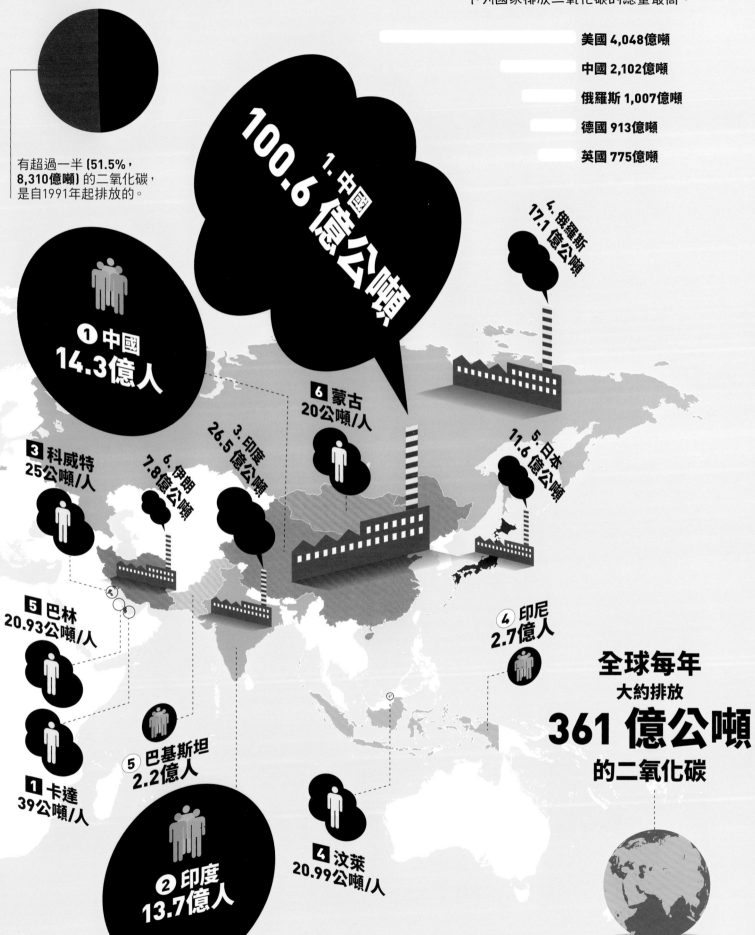

自1751年至今，工業活動已經釋放了**大約1兆6,150億噸的二氧化碳**到大氣層裡。

有超過一半 (51.5%，8,310億噸) 的二氧化碳，是自1991年起排放的。

美國 4,048億噸

中國 2,102億噸

俄羅斯 1,007億噸

德國 913億噸

英國 775億噸

1. 中國 100.6 億公噸

4. 俄羅斯 17.1 億公噸

6. 蒙古 20公噸/人

5. 日本 11.6 億公噸

① 中國 14.3億人

③ 科威特 25公噸/人

3. 印度 26.5 億公噸

6. 伊朗 7.8 億公噸

⑤ 巴林 20.93公噸/人

④ 印尼 2.7億人

全球每年大約排放 **361 億公噸** 的二氧化碳

⑤ 巴基斯坦 2.2億人

① 卡達 39公噸/人

② 印度 13.7億人

④ 汶萊 20.99公噸/人

哪些國家是吃電大怪獸？

這張地圖呈現了地球入夜時燈火通明的模樣，
讓我們看出世界人口主要集中在哪些地區。
不過，最明亮的區域未必是人口最密集的區域，
因為相較於貧窮國家，富裕國家的居民每人使用了更多電力。

夜晚的世界

多倫多

加拿大人口稀疏，
每平方公里
僅住了**3.7人**。

每個美國人
每年使用
約**1萬2,500度**
的能源。

美國
年消耗能源量：4兆度
人口：3億2,900萬人

富裕國家總是消費過多能源。擁
有3億2,900萬人口的美國是世界
上第2大的電力消費國。

加拿大
面積：1,000萬平方公里
人口：3,741萬人

大部分的加拿大人住在少數幾個大城
市裡（例如多倫多），只有稀疏的人群散
布在剩下的廣大土地上。這些人煙稀
少的地方，在這張地圖上看起來也比
較暗。

全世界
每年的電力
使用量超過
23兆度。

美國就占了
其中的**17%**。

〔電力單位：1度電=1千瓦特・小時〕
〔資料年分：2019年〕

誰是最大電力消耗國？
（資料年分：2019年）

中國
6兆5,100億度

美國
3兆8,650億度

印度
1兆2,300億度

俄羅斯
9,220億度

日本
9,180億度

(＊台灣
2,652億度)

各國人口排行榜
（資料年分：2019年）

中國
14.3億人

印度
13.7億人

美國
3.3億人

印尼
2.7億人

巴基斯坦
2.2億人

埃及尼羅河
埃及的總人口數大約1億人，其中就有將近8,700萬人住在尼羅河兩岸的狹長地帶。

兩個韓國，一明一暗
朝鮮半島目前分為南韓和北韓兩個國家，北半邊的小光點就是北韓首都平壤的位置。

北韓
年消耗能源量：180億度
人口：2,567萬人

平壤

台灣

南韓
年消耗能源量：5,530億度
人口：5,123萬人

奈及利亞
年消耗能源量：250億度
人口：2億零96萬人

奈及利亞的人口超過美國人口的半數，然而每人年用電量僅有124度，大約只有美國人的百分之一。這也是為何這個國家在地圖上看起來如此黯淡。

每個奈及利亞人
每年使用124度
的電力。

布里斯本
伯斯
雪梨
墨爾本

澳洲
面積：770萬平方公里
人口：2,520萬人

澳洲人口約有2,520萬人，將近5成的人口集中在雪梨、墨爾本、布里斯本和伯斯這4個沿海大城市。

靠「黑金」致富的
石油生產國

石油又被譽為「黑金」，每天全球有9,442萬桶原油從地底抽出，
透過輸油管和巨型油輪運送到煉油廠，提煉成石油、天然氣和塑膠等石化產品。

全球10大產油國

這張地圖標出了全世界
最大的原油生產國。有些
國家在陸地開鑿油井，有
些則是在海底用巨型鑽井
抽取地層裡的原油。

（資料年分:2020年）

❹ 加拿大
550萬
桶/天

石油變變變！

原油被送到煉油廠後會製成各種產品，用途極
為廣泛，透過下圖我們可以認識原油精煉後的
主要產品有哪些。在美國，煉油成品中有46%
都是汽油，而燃料油和柴油則各占了20%。

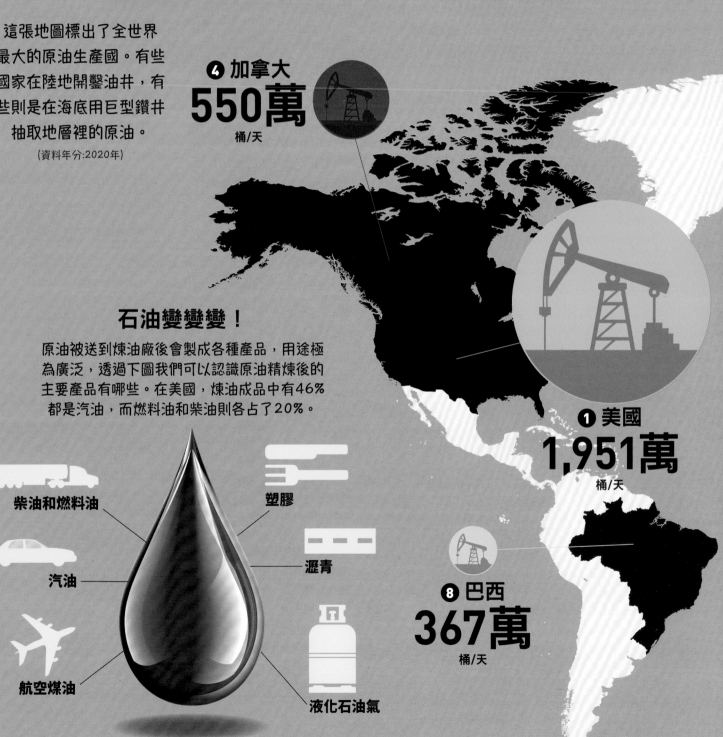

柴油和燃料油

塑膠

瀝青

汽油

❶ 美國
1,951萬
桶/天

航空煤油

液化石油氣

❽ 巴西
367萬
桶/天

誰的石油不夠用？

有些國家的能源需求量太高，因此除了自己生產石油外，同時也需要進口。舉例來說，美國既是全球最大的石油生產國，同時也是目前世界第4大的石油進口國。

石油淨進口國排行榜
（資料年分：2018年）

= 1,000桶

① 中國 9,078桶/天

② 印度 3,902桶/天

③ 日本 3,479桶/天

④ 美國 3,197桶/天

⑤ 南韓 2,409桶/天

⑥ 德國 2,056桶/天

⑦ 新加坡 1,639桶/天

⑧ 法國 1,504桶/天

（ *台灣 906桶/天 ）

俄羅斯
③ 俄羅斯
1,149萬
桶/天

⑥ 伊拉克
474萬
桶/天

⑩ 科威特
294萬
桶/天

荷莫茲海峽

⑨ 伊朗
319萬
桶/天

⑦ 阿拉伯
聯合大公國
401萬
桶/天

⑤ 中國
489萬
桶/天

麻六甲
海峽

② 沙烏地阿拉伯
1,181萬
桶/天

最繁忙的船運路線

有些海上航線因為航道狹窄，因此成為忙碌的運輸通道。全球最繁忙的石油運輸路線在荷莫茲海峽（每天1,700萬桶）和麻六甲海峽（每天1,520萬桶）。

全球森林拉警報

森林並非平均分布在世界各地，全球三分之二的森林集中在10個國家裡，
分別是俄羅斯、巴西、加拿大、美國、中國、澳洲、剛果、印尼、祕魯和印度。
為了人類的燃料需求，以及為了騰出空間給城鎮與農場，
這些森林正面臨遭砍伐的威脅。

全球前7大造林國 & 伐林國

❼ 美國
10.8萬公頃/年

古巴

❹ 安哥拉
56萬公頃/年

❻ 土耳其
11.4萬公頃/年

❷ 剛果民主共和國
110萬公頃/年

祕魯

衣索比亞

❹ 智利
15萬公頃/年

① 巴西
150萬公頃/年

❻ 巴拉圭
35萬公頃/年

圖例說明

**Top 7
造林國**
2010~2020年間，
平均每年增加的
森林淨面積

**Top 7
伐林國**
2010~2020年間，
平均每年減少的
森林淨面積

❺ 坦尚尼亞
42萬公頃/年

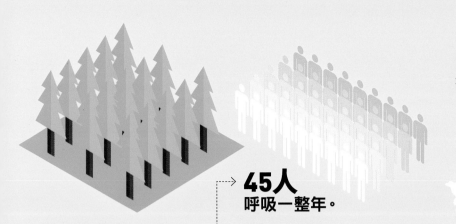

45人
呼吸一整年。

1公頃的森林
能提供足夠的氧氣給

我們需要更多森林！

在「波昂挑戰」森林重建研討會中，許多國家宣示投入森林復育，目標是在2020年恢復1億5,000萬公頃的林地，這個面積比祕魯的國土還要大。

衣索比亞提出了目前全世界最大的造林計畫，承諾要恢復2,200萬公頃的林地，等於是讓超過20%的衣索比亞都變成森林。

20%
的衣索比亞

光是**亞馬遜雨林**就提供了全世界**20%的氧氣**。

全球森林砍伐比例

全球每年有將近
1,000 萬公頃
的林地流失，
相當於
古巴
這個國家的大小

❸ 印度
27萬公頃/年

❶ 中國
194萬公頃/年

❺ 越南
13萬公頃/年

③ 印尼
75萬公頃/年

❷ 澳洲
45萬公頃/年

絕處逢生的恐龍杉

恐龍杉（又稱「瓦勒邁杉」）是全世界最稀有的物種之一，在地球上已存活了至少2億年。原本人們認為恐龍杉已經絕種了，直到1994年，有人在澳洲雪梨附近一處偏僻的山谷，發現了大約100棵倖存的恐龍杉。

❼ 緬甸
29萬公頃/年

環保 vs. 經濟：
該選擇雨林還是油棕？

油棕果實所提煉出棕櫚油，用途極為廣泛，在我們平日購買的商品中，幾乎一半都有添加。

過去50多年來，棕櫚油的需求大幅增加，導致油棕種植國的森林砍伐率急劇上升。

目前全球每年生產超過7,000萬公噸的棕櫚油。

世界9大棕櫚油產地

我們可以透過這張地圖了解，全球9大棕櫚油生產國的年生產量增加了多少。

在1964年至2020年間，

❸ 泰國
- 2020年 310萬公噸
- 1964年 0公噸

❾ 剛果民主共和國
- 2020年 30萬公噸
- 1964年 13萬公噸

❺ 奈及利亞
- 2020年 102萬公噸
- 1964年 54萬公噸

❹ 哥倫比亞
- 2020年 167萬公噸
- 1964年 0.2萬公噸

❽ 宏都拉斯
- 2020年 58萬公噸
- 1964年 0公噸

❻ 瓜地馬拉
- 2020年 85萬公噸
- 1964年 0公噸

❼ 厄瓜多
- 2020年 62萬公噸
- 1964年 0公噸

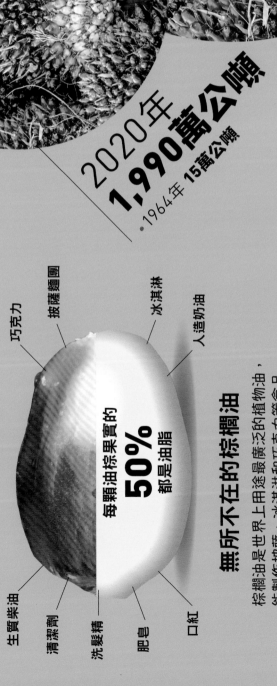

❶ 印尼

2020年 4,350萬公噸
• 1964年 16萬公噸

❷ 馬來西亞

2020年 1,990萬公噸
• 1964年 15萬公噸

油棕是何方神聖？

油棕是一種能長到20公尺高的樹木，
每年每公頃的油棕可以從果實
榨取4.5公噸的油脂，
剩下的植物纖維則可以用作動物飼料。

無所不在的棕櫚油

棕櫚油是世界上用途最廣泛的植物油，
能製作披薩、冰淇淋、洗衣精、肥皂等日常食品，
以及洗髮精、洗碗精、肥皂等日常清潔用品。
甚至化妝品中也能發現它的蹤影。除此之外，棕櫚油
甚至可以提煉成生質柴油呢！

每顆油棕果實的
50%
都是油脂

- 巧克力
- 披薩麵團
- 冰淇淋
- 人造奶油
- 口紅
- 肥皂
- 洗髮精
- 清潔劑
- 生質柴油

大量種植油棕的代價

每年地球上有數百萬公頃的森林遭到砍伐清除，
轉為種植棕櫚樹的單一作物農園。
西元2000年至2012年間，泰國就有600萬公頃的
林地為了農業而消失，面積等同於半個英國。
在森林消失的同時，棲息在這裡的物種也被逼上絕路，
紅毛猩猩就是其中一個因此面臨瀕絕種危機的例子。

當你在閱讀此頁時，有兩個足球場那麼大的兩林
正為了改種棕櫚樹而被砍伐。

十麼各地氣候不一樣？

世界各地的氣候型態差異極大，
一個地方的氣候，主要跟該地區與赤道和兩極的相對位置相關。
各地的氣溫與雨量相差懸殊，四季風貌也有所差異，
甚至同一地區每個月的氣候狀況都可能不同。

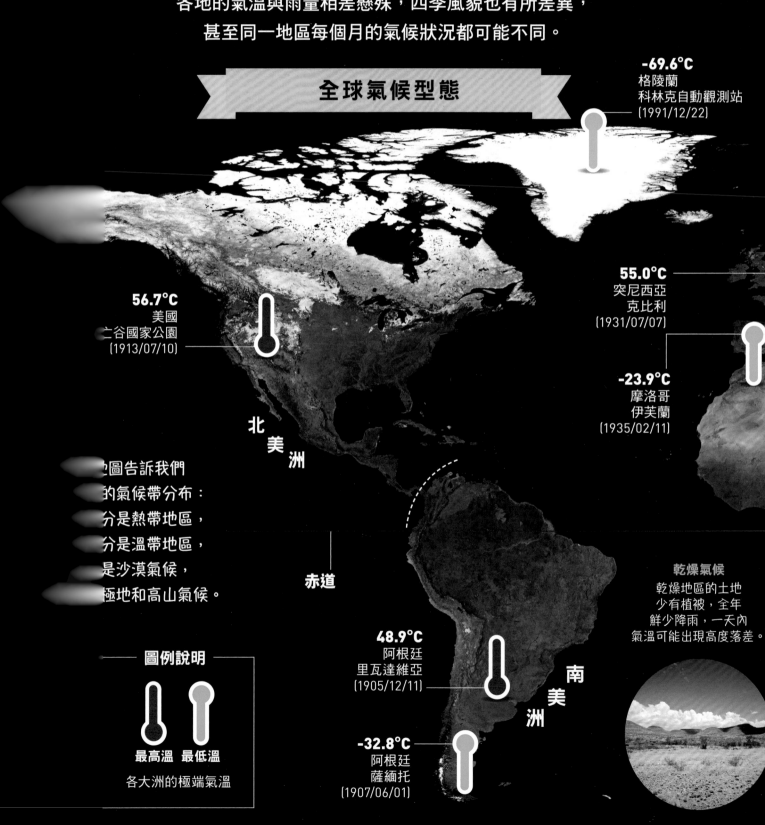

全球氣候型態

-69.6°C
格陵蘭
科林克自動觀測站
(1991/12/22)

55.0°C
突尼西亞
克比利
(1931/07/07)

56.7°C
美國
二谷國家公園
(1913/07/10)

-23.9°C
摩洛哥
伊芙蘭
(1935/02/11)

北美洲

地圖告訴我們
的氣候帶分布：
分是熱帶地區，
分是溫帶地區，
是沙漠氣候，
極地和高山氣候。

赤道

乾燥氣候
乾燥地區的土地
少有植被，全年
鮮少降雨，一天內
氣溫可能出現高度落差。

48.9°C
阿根廷
里瓦達維亞
(1905/12/11)

南美洲

-32.8°C
阿根廷
薩緬托
(1907/06/01)

─ 圖例說明 ─

最高溫　最低溫

各大洲的極端氣溫

這種氣候型態因為出現在地中海沿岸而得名，但也出現在智利、美國加州和南非等地區。地中海型氣候的夏季溫暖乾燥，冬季卻寒冷潮溼。

溫帶氣候區夾在兩極與熱帶地區之間，四季溫和，而且終年有雨。因為風向、距海遠近等因素，可細分為大陸型氣候與海洋型氣候。

南極和北極周遭終年低溫，尤其在太陽不會升起的冬季月份更是寒冷。極點附近的海洋與地面，都被厚厚的冰層所覆蓋。

48.0°C
希臘
雅典
(1977/07/10)

-58.1°C
俄羅斯
烏斯休格
(1978/12/31)

-67.8°C
俄羅斯
維科揚斯克&奧伊米亞康
(1892/02/07, 1933/02/06)

歐 洲

亞 洲

非 洲

54.0°C
以色列
提拉茲維
(1942/06/21)

高山氣候

安地斯山脈、喜馬拉雅山等山區沒有明顯的四季，但是氣候狀況會隨著高度改變而有顯著的變化。

熱帶氣候

熱帶地區位於赤道兩側，分為終年多雨的溼熱帶和乾溼季分明的乾熱帶。

50.7°C
澳洲
烏德納達塔
(1960/01/02)

大 洋 洲

-23.0°C
澳洲
新南威爾斯夏洛特埡口
(1994/06/29)

地球發燒中！

在漫長的歷史中，地球氣溫歷經數次大幅變動，
形成冰河期和溫暖的間冰期多次交替循環。
科學家認為，下個世紀的氣溫可能會升高大約6°C，將帶來巨大影響。

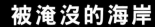

被淹沒的海岸

美國
紐奧良
120萬人口

科學家預估，
若北極、南極的冰雪全數融化，
海平面將上升60公尺。
透過這張地圖，
我們可以看出海岸線將從
綠色區域邊緣上升到
米色區域邊緣，
其間的淺綠色
即為淹水區。

美國
紐約
840萬人口

美國
邁阿密
550萬人口

阿根廷
布宜諾斯艾利斯
300萬人口

奈及利亞
拉哥斯
1,550萬人口

圖例說明

目前的海岸線

淹水區

受海平面上升
影響的大城市
人口數

一年之中最炎
熱的日子所增
加的溫度

增加的
乾旱天數

0~4°C

5~6°C
或更高

0~14天

15~20天
或更多

未來的海岸線

因為海平面上升，這些大城市要付出多少代價？

美國，邁阿密　3.5兆美元
中國，廣州　3.4兆美元
美國，紐約　2.1兆美元
印度，加爾各答　2兆美元
中國，上海　1.8兆美元

史上最嚴重的饑荒

若長時間降雨量低於平均值會形成乾旱，
並造成農作物歉收，甚至引發饑荒。
史上最嚴重的饑荒發生在
西元1876~1879年的中國北部，
那3年的降雨量十分稀少，
最終死亡人數高達900~1,300萬。

英國
倫敦
860萬人口

荷蘭
阿姆斯特丹
160萬人口

丹麥
哥本哈根
190萬人口

印度
加爾各答
1,180萬人口

孟加拉
達卡
1,750萬人口

中國
上海
2,390萬人口

印度
孟買
2,100萬人口

日本
東京
3,780萬人口

越南
胡志明市
920萬人口

台灣

中國
廣州
1,030萬人口

中國
香港
720萬人口

*根據綠色和平組織2020年研究，
未來30年若不積極減碳，
台灣將面臨海平面上升危機，
約有1,398平方公里因海平面上升而淹水，
範圍包括總統府、立法院等重要機關，
約120萬人受影響。

49

全球物種的希望與危機

全球各地的生物多樣性差別極大，
例如雨林地區孕育了成千上萬不同類型〔物種〕的生物，
但是能在南北極和熱帶沙漠地區生存的物種卻寥寥可數。

生物多樣性熱點與分布

這張地圖上標示出生物種類最多的前5名和倒數5名的國家。
生物種類愈多、生態系差異愈大，代表該地區的生物多樣性程度愈高。

圖例說明

前5名　末5名

生物多樣性
以兩棲動物、鳥類、
哺乳動物、爬蟲類和
維管束植物的總數排名。

生物多樣性熱點
擁有至少1,500種
維管束植物，
但原生植被卻流失
70%以上而瀕臨絕種
的地區。

(資料年分:2019年)

馬利
2,963
倒數 **5**

甘比亞
2,264 種
倒數 **3**

幾內亞比索
2,346 種
倒數 **4**

5
墨西哥
31,675
種

2
哥倫比亞
56,965
種

1
巴西
65,03
種

年年發現新物種

全球每年都會發現上萬種
新物種，據估計，
世界各地還有數不清
的物種尚待發掘。

動物
預估約
777萬種
〔95萬3,434種已確認，
僅占總數的12%〕

原生動物
預估約
3萬6,400種
〔8,118種已確認，
僅占總數的22%〕

藻類
預估約
2萬7,500種
〔1萬3,033種已確認，
僅占總數的47%〕

真菌類
預估約
61萬1000種
〔4萬3,271種已確認，
僅占總數的7%〕

植物
預估約
29萬8,000種
〔21萬5,644種已確認，
僅占總數的72%〕

總計全球共有 **874萬** 種生物

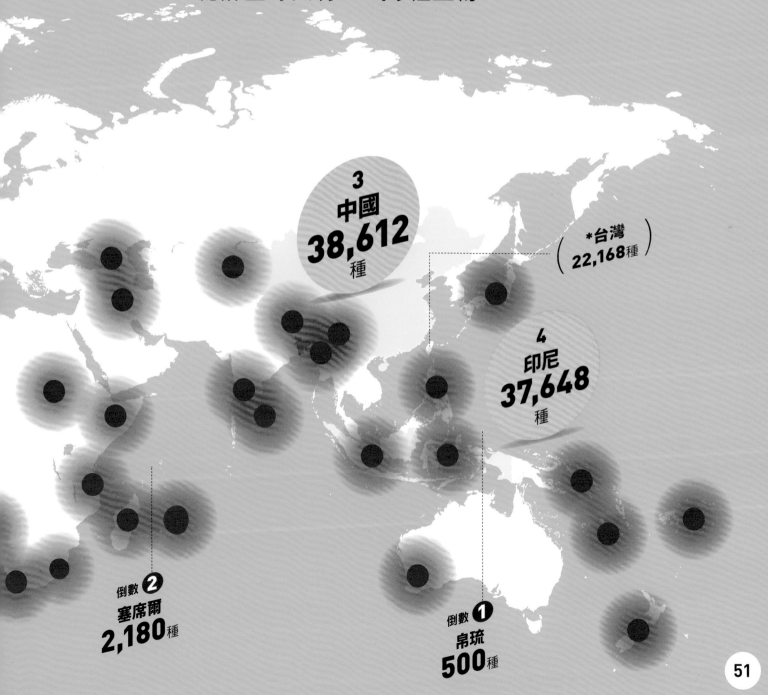

3
中國
38,612
種

*台灣
22,168種

4
印尼
37,648
種

倒數 **2**
塞席爾
2,180種

倒數 **1**
帛琉
500種

救救瀕危物種！

科學家相信，全球有超過2萬種動物、植物正瀕臨滅絕，
這其中包含了全世界三分之一的兩棲類、
四分之一的哺乳動物，以及八分之一的鳥類。

瀕危物種分布圖

這張世界地圖告訴我們，
在不同國家境內面臨絕種威脅的
物種數量。

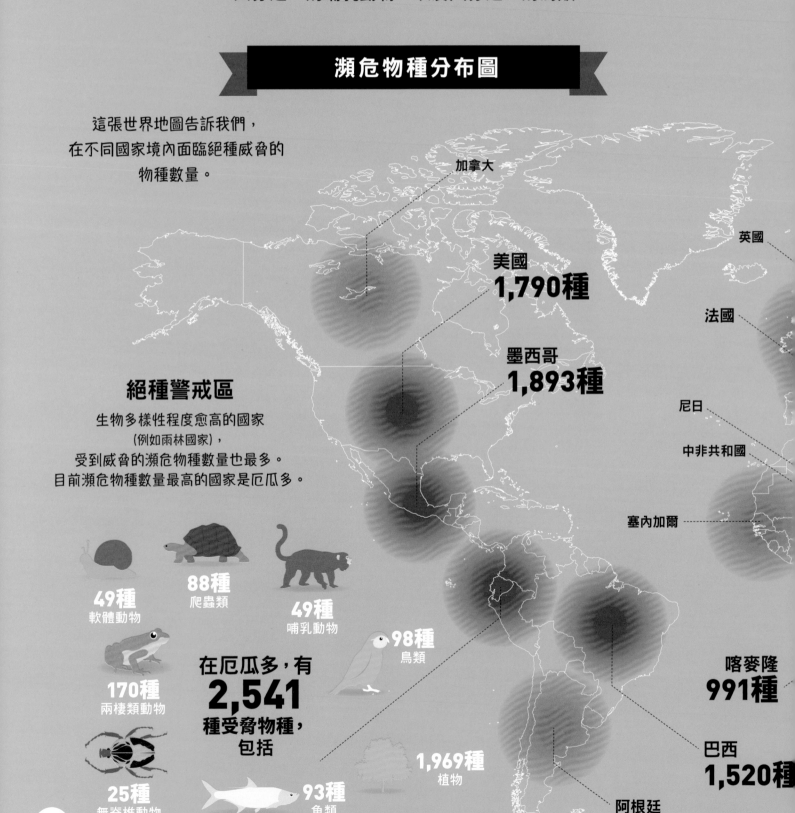

加拿大

英國

法國

美國
1,790種

墨西哥
1,893種

尼日

中非共和國

塞內加爾

絕種警戒區

生物多樣性程度愈高的國家
（例如雨林國家），
受到威脅的瀕危物種數量也最多。
目前瀕危物種數量最高的國家是厄瓜多。

49種
軟體動物

88種
爬蟲類

49種
哺乳動物

98種
鳥類

170種
兩棲類動物

在厄瓜多，有
2,541
種受脅物種，
包括

喀麥隆
991種

25種
無脊椎動物

93種
魚類

1,969種
植物

巴西
1,520種

阿根廷

為什麼物種會瀕臨滅絕？

動物瀕臨絕種的原因有很多，有些物種因為具有高度商業價值而遭採集或獵殺，有些則因為汙染和疾病而死亡。不過最大的威脅還是來自棲地遭到破壞、氣候變遷和外來種入侵。

棲地流失
人類為了採礦或建設城鎮而砍伐林木，不但破壞了生物棲地，也減少了食物供給來源。

氣候變遷
地區氣候改變可能會摧毀物種賴以生存的棲地，使得食物來源減少，生物也難以生存。

外來種入侵
外來種除了會和原生物種爭奪食物，或者甚至以原生物種為食，導致原生物種族群數目下降。

圖例說明

各國受脅物種的數目
〔植物與動物〕

高
500種以上

中
100~500
種之間

低
少於100種

（資料年分:2020年）

丹麥

瑞典

哈薩克

保加利亞

俄羅斯

印度
1,174種

中國
1,291種

日本
517種

伊拉克

沙烏地
阿拉伯

台灣
401種

阿拉伯
聯合大公國

越南
783種

澳洲
1,759種

肯亞
611種

斯里蘭卡
675種

剛果民主
共和國
512種

馬達加斯加
3,483種

南非
790種

馬來西亞
1,879種

印尼
1,927種

拜見各方動物霸主

世界各地的動物為了適應當地環境，演化出不同的生理特徵與生活方式。例如北極熊能擁有保暖的厚皮毛，可以順應極地嚴寒的氣候，長頸鹿的長脖子則可以幫牠們取得其他動物吃不到的高處食物。

稱霸一方的動物強者

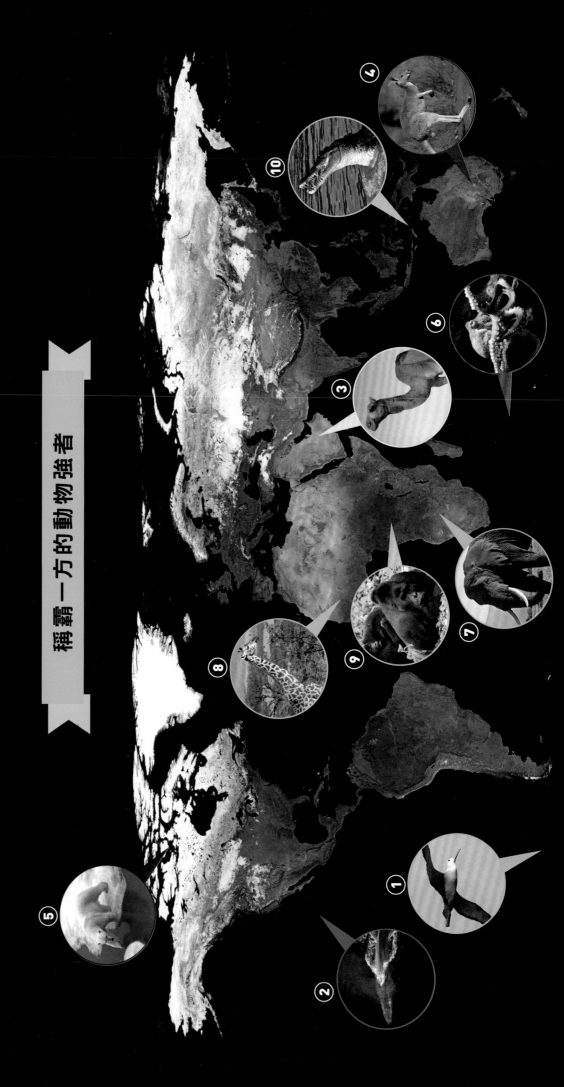

❶ 漂泊信天翁

活動範圍
南極洋

信天翁的細長雙翼
能乘著海風，在空
中滑翔數個小時，
中途完全不需要拍
動翅膀。

❷ 藍鯨

活動範圍
所有海洋

藍鯨是有史以來最龐大的動
物，而他之所以能長到如
此巨大，是因為有海水支
撐他的體重。藍鯨的嘴裡
充滿了稱為「鯨鬚板」的
巨型皺褶，可以將浮游生
物從海水中過濾出來，然
後吃掉。

❸ 駱駝

活動範圍
非洲、西亞和南亞

駱駝生活在乾燥的沙漠裡，
他們擁有長長的睫毛，和可以
閉合的鼻孔，能防止風沙進入體內；
背上的駝峰裝滿了脂肪，能夠儲存
營養與熱量，寬大的腳掌則能避免
陷入鬆軟的沙子中。

❹ 袋鼠

活動範圍
澳洲

袋鼠擁有又長而有力的雙
腿，因此能用彈跳的方
式橫行於澳洲的草原。

❺ 北極熊

活動範圍
北極

北極熊有著厚實的皮毛和脂肪層，
所以能抵禦得了北極地區的嚴寒；
為了尋找獵物，他們以游泳移動的方
式往返海冰之間穿梭移動，距離可
達好幾公里遠。

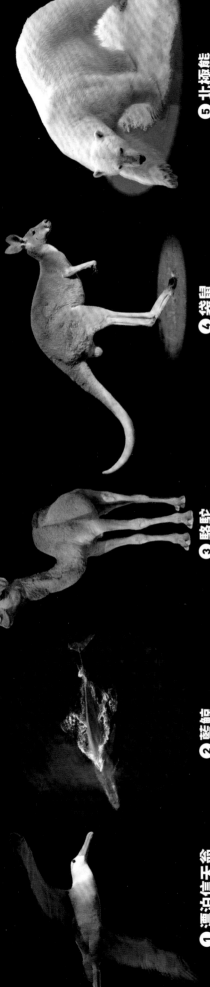

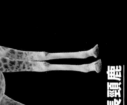

❻ 章魚

活動範圍
所有海洋

章魚這種軟體動物體
內沒有骨骼，這表示
他能將身軀擠進細小
的岩縫，伺機尋找獵食
物，或是躲避掠食者
的追捕。

❼ 非洲象

活動範圍
非洲

非洲象是世界上最大的陸棲動
物，他的一雙大耳可以調節體
溫，長鼻子則能吸水、嗅聞、
捲取食物和其他物品，以及觸
摸其他大象來進行溝通。

❽ 長頸鹿

活動範圍
非洲

長頸鹿因為有長脖子，所以
可以碰到其他動物無法企及
的高處的枝葉，以及發現尚往
遠處的掠食者。為了將血液
傳送到頭部，所以他們的心
臟功能能很強大。

❾ 大猩猩

活動範圍
非洲

大猩猩厚實的皮毛不只
保暖、還能保護皮膚，
避免蚊蟲叮咬。他的大
牙齒可以用來嚼爛植物
和草葉，幫助進食。

❿ 灣鱷

活動範圍
東印度、東南亞和北澳洲

灣鱷這種龐大的爬蟲型突襲會隱藏並
利用獵物、強而有力的尾巴
可以推著他往水中移動，則
眼睛位於頭頂的優勢，
能讓他潛伏在水水中，不被
毫無戒心的獵物察覺。

動物遷徙大冒險

為了尋找食物、水源或是絕佳的生育場所，
許多動物都會踏上冒險的旅途，定期往返移動。
這類遷徙或迴游的行為可能遠達數千公里，也可能僅有數百公尺。

海陸空遷徙路線

從這張地圖可以看出不同動物的遷徙模式，
有的經由陸地，有的穿越海洋，有的則凌空飛行。

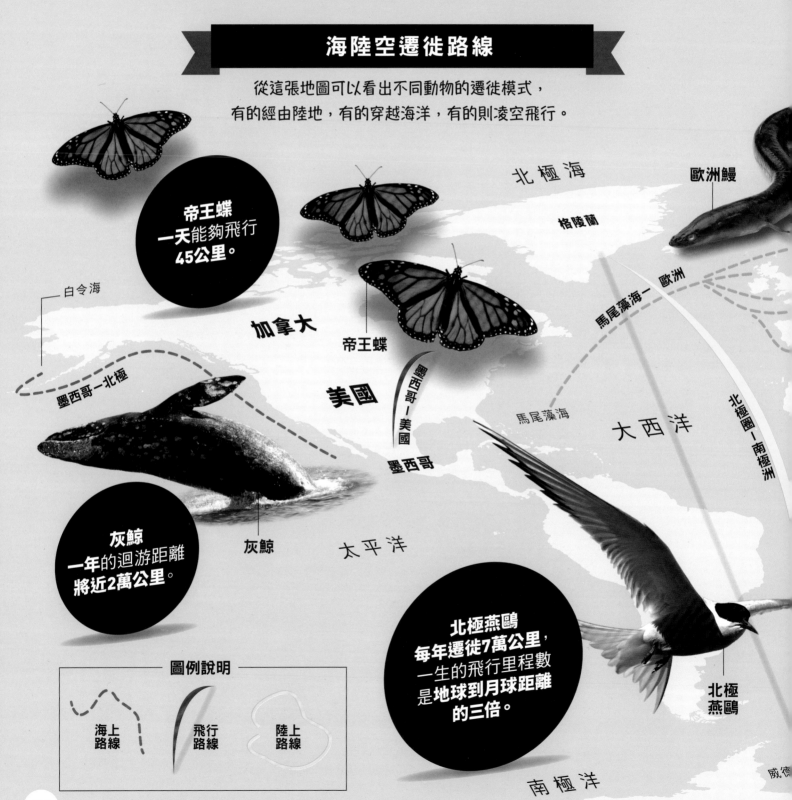

歐洲鰻

北 極 海

格陵蘭

帝王蝶
一天能夠飛行
45公里。

白令海

加拿大

帝王蝶

墨西哥—北極

美國

墨西哥—美國

馬尾藻海—歐洲

馬尾藻海

大 西 洋

北極圈—南極洲

墨西哥

灰鯨
一年的迴游距離
將近**2萬公里。**

灰鯨

太 平 洋

北極燕鷗
每年遷徙**7萬公里，**
一生的飛行里程數
是**地球到月球距離**
的三倍。

北極
燕鷗

圖例說明

海上
路線

飛行
路線

陸上
路線

威德

南 極 洋

垂直迴游

在大海裡，每天都會有
成千上萬微小的浮游動物，
為了尋找食物，
上下移動數百公尺，
這類遷徙稱為「垂直迴游」
（見右側照片）。

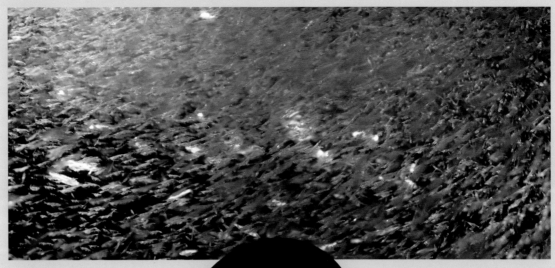

薄翅蜻蜓
會利用**海拔近**
6,500公尺
的高空疾風來
移動遷徙。

有一隻**革龜**在2003年
從印尼遷移到美洲，
游了超過**2萬零500公里。**

歐洲鰻
會為了繁殖而迴游，
一次會產下將近
1,000萬顆卵。

薄翅蜻蜓

革龜

牛羚

印度

台灣

印尼

印度—非洲

印度洋

聖誕島

澳洲

肯亞

東非動物大遷徙

坦尚尼亞

「動物大遷徙」
是地球上規模最大的
陸上動物遷徙，
有將近**150萬隻牛羚**
參與其中。

紅地蟹

在印尼附近的聖誕島上，
將近**5,000萬隻紅地蟹**
會為了產卵集體往海邊遷徙。

*台灣：紫斑蝶在每年初春3~4月時，
會從屏東、台東出發，
向北飛往苗栗、新北，
到了9月到10月國慶日前後，
會再飛往南方過冬，
單程遷徙超過150公里。

南 極 洲

好擠好擠的都市生活

目前已知最早的城市約莫成立於1萬年前，
自此之後，愈來愈多人遷往城鎮定居。
這種從鄉村移往城市的人口流動過程，我們稱為「都市化」。

各國都市化程度一覽表
與人口數超過1,000萬的大城市

這張地圖標示了世界各國的城鎮人口百分比。

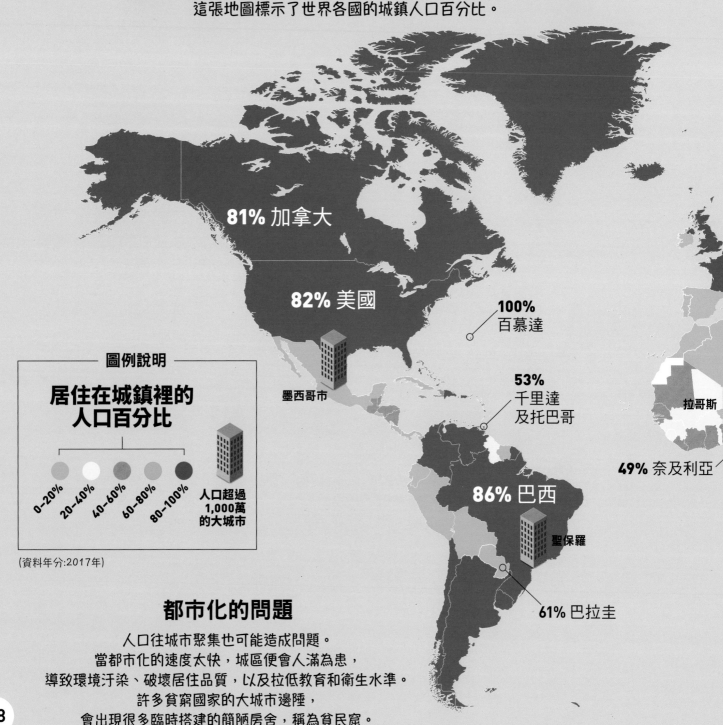

81% 加拿大

82% 美國

100%
百慕達

53%
千里達
及托巴哥

墨西哥市

拉哥斯

49% 奈及利亞

86% 巴西

聖保羅

61% 巴拉圭

圖例說明

**居住在城鎮裡的
人口百分比**

0~20%　20~40%　40~60%　60~80%　80~100%

人口超過
1,000萬
的大城市

（資料年分:2017年）

都市化的問題

人口往城市聚集也可能造成問題。
當都市化的速度太快，城區便會人滿為患，
導致環境汙染、破壞居住品質，以及拉低教育和衛生水準。
許多貧窮國家的大城市邊陲，
會出現很多臨時搭建的簡陋房舍，稱為貧民窟。

都市化程度的歷年變化

	世界	非洲	亞洲	歐洲	中南美洲	北美洲	大洋洲	
1950年	29.6%	14.0%	17.5%	51.1%	41.3%	63.9%	62.4%	**1950年**
2000年	46.6%	34.5%	37.5%	70.9%	75.3%	79.1%	70.5%	**2000年**
2050年	66.4%	55.9%	64.2%	82.0%	86.2%	87.4%	73.5%	**2050年**

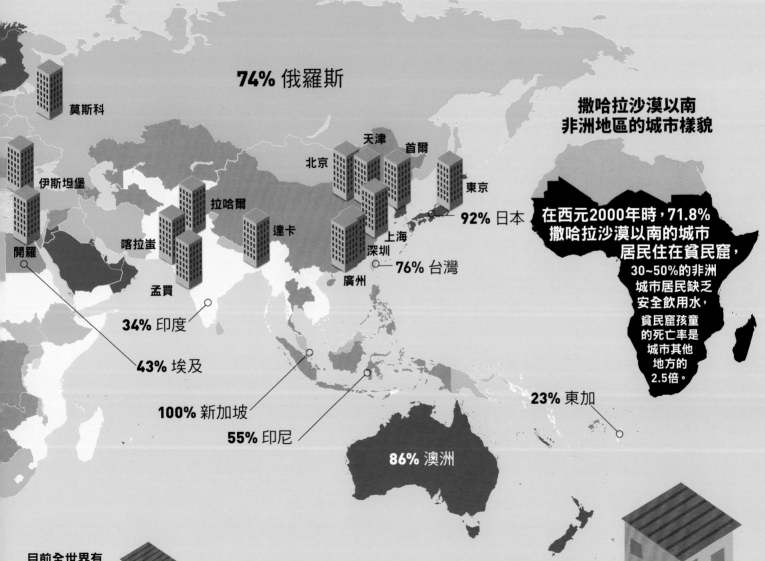

74% 俄羅斯

莫斯科

伊斯坦堡

開羅

喀拉蚩

孟買

34% 印度

43% 埃及

100% 新加坡

55% 印尼

拉哈爾

達卡

北京

天津

首爾

東京

上海

深圳

廣州

92% 日本

76% 台灣

23% 東加

86% 澳洲

撒哈拉沙漠以南 非洲地區的城市樣貌

在西元2000年時，71.8% 撒哈拉沙漠以南的城市 居民住在貧民窟，30~50%的非洲 城市居民缺乏 安全飲用水， 貧民窟孩童 的死亡率是 城市其他 地方的 2.5倍。

目前全世界有 10億人口 住在貧民窟。

未來30年，這個數字將會加倍，變成 **20億人口**。

不可或缺的水資源

水對人類來說非常重要，
我們每年使用4,000立方公里的水，超過曾文水庫總容量的5,000倍。
水可以維持我們的生命、灌溉作物，也用於工業，
但並不是世界上所有人都能擁有乾淨、安全的飲用水。

淡水資源

全球的水資源分配並不平均，
有些國家擁有大量水資源，有些國家卻無法保證全民都有足夠的水可用。
從這張地圖我們可以看出各國天然供水量是否足夠，
以及哪些國家有眾多人口無法取得安全、無汙染的飲用水。

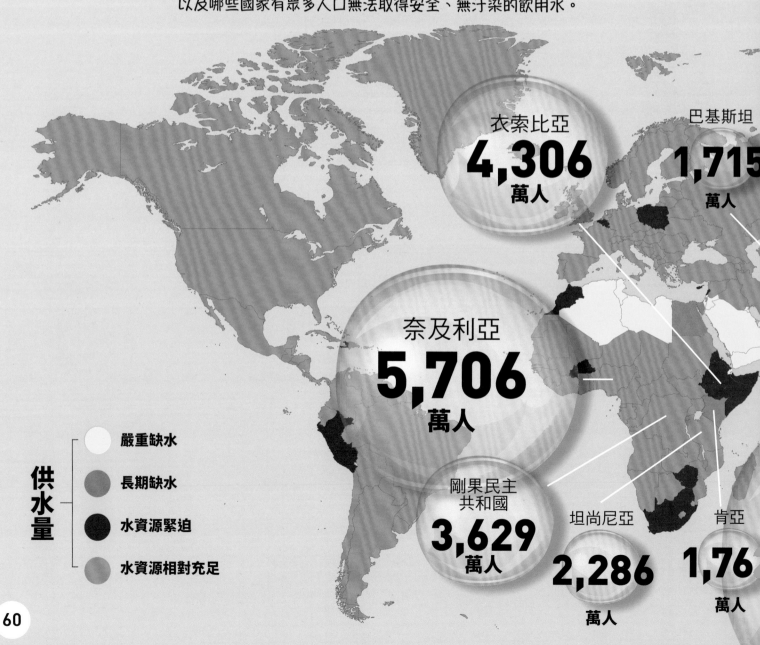

衣索比亞
4,306
萬人

巴基斯坦
1,715
萬人

奈及利亞
5,706
萬人

剛果民主
共和國
3,629
萬人

坦尚尼亞
2,286
萬人

肯亞
1,76
萬人

供水量

- ○ 嚴重缺水
- ◐ 長期缺水
- ● 水資源緊迫
- ◉ 水資源相對充足

2,100
萬人

各國無法取得
安全飲用水的人口數

根據世界衛生組織 (WHO) 的定義，所謂「安全飲用水」是指可以安全飲用、無汙染的水資源，可能來自原本就乾淨的天然水源，或是人為保護的乾淨水源。

汙水處理

為了確保飲用水安全、避免疾病傳播，最首要的任務就是用有效的方式，移除並處理水中的人類排泄物。有些鄉村地區沒有汙水處理設備，導致居民容易腹瀉，甚至感染傷寒、霍亂。

全球有23億人
生活在沒有抽水馬桶等現代衛生設備的環境，

中國
6,331
萬人

孟加拉
2,047
萬人

印尼
3,256
萬人

印度
7,730
萬人

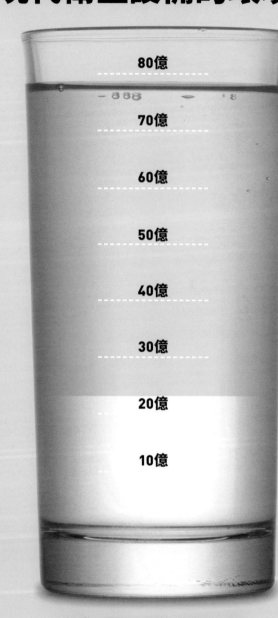

80億

70億

60億

50億

40億

30億

20億

10億

這數字超過
全球人口的25%

（資料年分:2019年）

各國常見疾病&
醫生數目比一比

對全體人類而言，致命疾病一直是個大威脅，
能幫助我們對抗這些疾病的關鍵，
是國家的醫療體系、醫護人員與醫療設備的數量。

最致命的疾病

透過這張地圖，我們可以看出各國
致死率第一的疾病分別是什麼。

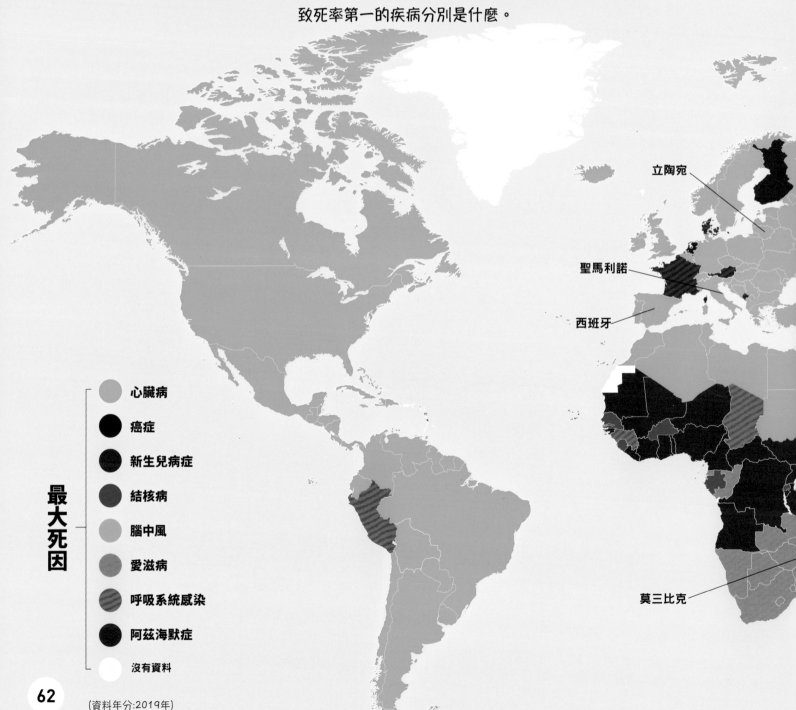

立陶宛

聖馬利諾

西班牙

莫三比克

最大死因

- 心臟病
- 癌症
- 新生兒病症
- 結核病
- 腦中風
- 愛滋病
- 呼吸系統感染
- 阿茲海默症
- 沒有資料

（資料年分：2019年）

窮人跟富人，生的病不一樣？

你知道嗎？國家的富裕程度，居然能左右人民常罹患的疾病種類。
例如，貧窮國家的醫療人員和設備較少，因此人民死於傳染病的比例較高；
富裕國家的人民，則有較高比例死於壞習慣（例如抽菸）
所引發的健康問題。

新生兒病症

51萬人

下呼吸道感染

41萬人

低收入國家的 3大疾病死因

(資料年分:2019年)

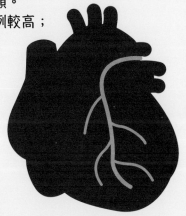

高收入國家的 3大疾病死因

心臟病

33萬人

腦中風

78萬人

阿茲海默症

81萬人

心臟病

173萬人

不丹

寮國

卡達

柬埔寨

印尼

醫生數量夠不夠？

一個國家的醫生人數愈多，人民就愈可能擁有
良好的醫療水準，能夠有效避免及控制疾病。
根據世界衛生組織的定義，若一個國家每1,000人口
的醫療工作者人數（醫生、護師、助產士）少於2~3人，
便不足以滿足人民的醫療基本需求。
從下圖中，我們能知道每1,000人口
醫療工作者人數最高與最低的幾個國家。

—— 醫病比最低國 ——

莫三比克 0.1位醫生
/每千人

寮國 0.2位
印尼 0.2位
柬埔寨 0.2位
不丹 0.3位

—— 醫病比最高國 ——

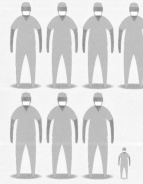

卡達 7.7位醫生
/每千人

聖馬利諾 5.1位
喬治亞 4.2位
立陶宛 4.1位
西班牙 3.7位

(資料年分:2013年)

哪國人民最長壽？

目前全世界人類的預期平均壽命是73歲，男人平均可以活到70歲，女人則是75歲。

一個人能活到多老，取決於財富多寡、飲食品質，

以及公共衛生條件〔例如有沒有馬桶〕。

平均壽命

一個國家愈富裕，
平均每人國內生產毛額 (GDP) 就愈高。
人民的收入愈高，
通常壽命也相對較長。

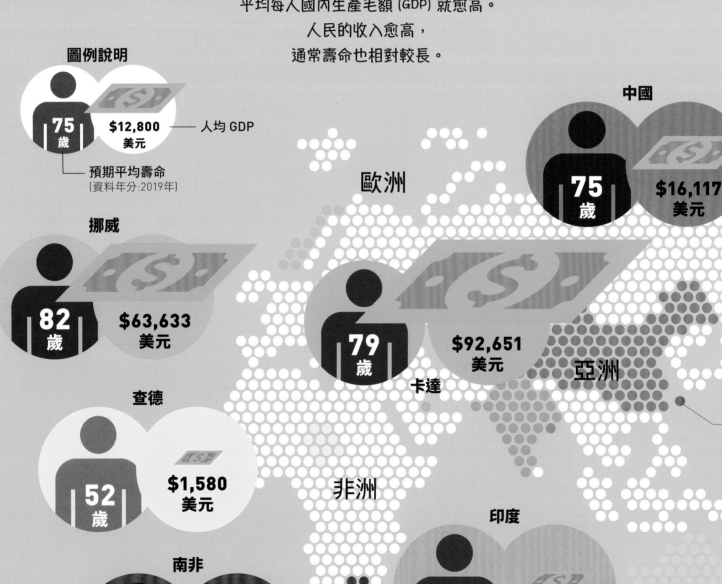

圖例說明

75歲　$12,800 美元 —— 人均 GDP

└─ 預期平均壽命
〔資料年分：2019年〕

中國
75歲　$16,117 美元

歐洲

挪威
82歲　$63,633 美元

79歲　$92,651 美元
卡達

亞洲

查德
52歲　$1,580 美元

非洲

印度
66歲　$6,754 美元

南非
60歲　$12,482 美元

大洋洲

愈乾淨，愈長壽！

公共衛生狀況較好的國家
能夠乾淨且有效地處理人類排泄物，
避免致命疾病的傳播，使人民能夠活得更久、
更健康，並增加預期壽命。

每20秒鐘
就有一個孩童因為環境衛生不佳而死亡。

1990年 **49%**　2010年 **63%**　2017年 **74%**

全球的衛生設備普及率

各國的衛生設備普及率

賴比瑞亞 **17%**　　肯亞 **29%**

印尼 **73%**　　巴拿馬 **83%**　　卡達 **100%**

根據世界衛生組織 (WHO) 的統計結果，目前已有41個
國家現代化衛生設備普及率達到99%以上，包括美國、
英國、澳洲、沙烏地阿拉伯和南韓等國家。

(*根據2020年「福祉衡量指標統計表」，台灣基本衛生設備普及率達100%)

美國

79 歲　　**$54,800** 美元

北美洲

台灣
81 歲　　**$25,941** 美元

澳洲

83 歲　　**$49,756** 美元

海地
63 歲　　**$1,800** 美元

南美洲

（男62，女65）
非洲 63歲

（男72，女76）
亞洲 74歲

（男71，女78）
南美洲 75歲

（男77，女81）
北美洲 79歲

（男77，女81）
大洋洲 79歲

（男75，女82）
歐洲 79歲

各大洲的平均預期壽命

〔資料年分：2019年〕

蔓延全球的肥胖問題！

全世界許多國家都有肥胖問題，
有些國家甚至有超過三分之一的人體重嚴重超標。
造成肥胖的原因通常是吃得太多，或是攝取的食物熱量過高。

各國的肥胖程度

從這張地圖可以看出各國人民的肥胖程度，
以及飲食開銷在家庭收入中的占比。
一般來說，富裕國家花費在飲食上的比例較低，
但是肥胖程度卻較高。

家庭收入的百分比 飲食花費占據

- 20%以下
- 20-30%
- 30-40%
- 40-50%
- 50%以上
- 沒有資料

國家肥胖人口比例
〔占比愈大人形愈大〕

〔資料年分:2016年〕

算一算，你超重了嗎？

我們可以用身體質量指數 (BMI) 來衡量一個人是否過重，而BMI 是運用下列公式計算體重與身高間的比例關係。

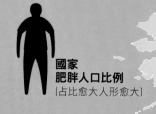

體重〔公斤〕 ÷ 身高的平方〔公尺〕

根據世界衛生組織的定義，
BMI值超過25表示已經過重，
大於30則是達到肥胖的標準。

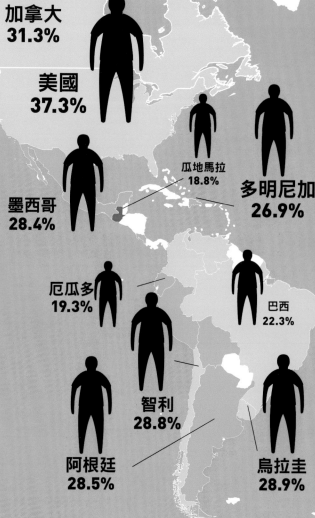

加拿大
31.3%

美國
37.3%

瓜地馬拉
18.8%

多明尼加
26.9%

墨西哥
28.4%

厄瓜多
19.3%

巴西
22.3%

智利
28.8%

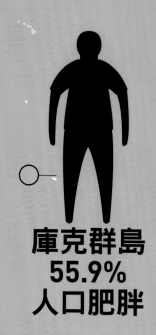

庫克群島
55.9%
人口肥胖

阿根廷
28.5%

烏拉圭
28.9%

吃進多少熱量會發胖？

人一天究竟該攝取多少卡路里呢？
這取決於你的年齡、新陳代謝和活動量。
一般來說，成年男性平均一天應該攝取2,500大卡的熱量，
成年女性則是一天2,000大卡。

印度
2,496大卡/天
3.8%人口肥胖

中非共和國
1,755大卡/天
6.3%人口肥胖

（*台灣:
2,954大卡/天,
22.3%人口肥胖）

← 肥胖人口比例 →

↑ 平均每日攝取熱量 ↓

美國
每日平均3,747大卡
37.3%人口肥胖

英國
3,409大卡/天
29.5%人口肥胖

阿根廷
3,219大卡/天
28.5%人口肥胖

這份圖表顯示不同國家人民平均每日攝取的熱量，以及該國肥胖人口的比例。

（資料年分:2016年）

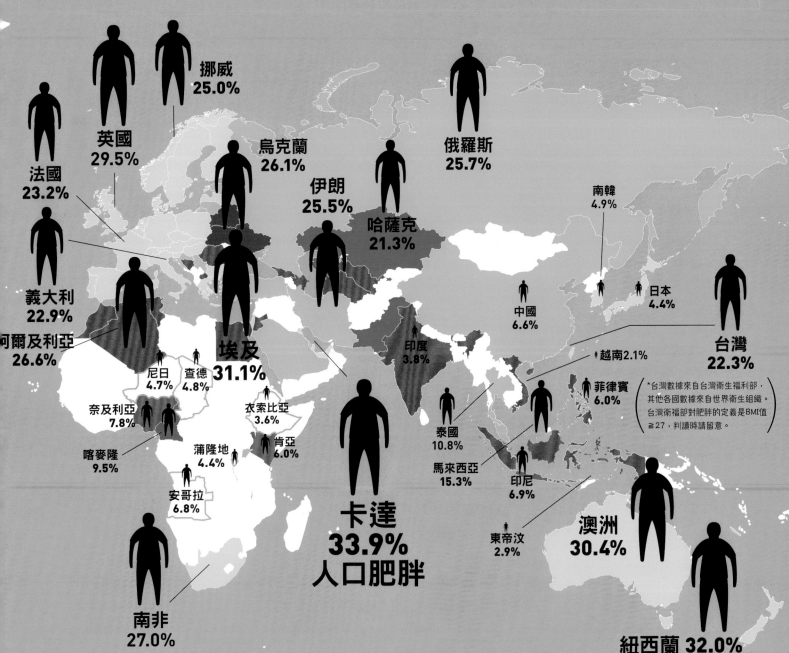

挪威
25.0%

英國
29.5%

法國
23.2%

義大利
22.9%

阿爾及利亞
26.6%

烏克蘭
26.1%

伊朗
25.5%

哈薩克
21.3%

俄羅斯
25.7%

南韓
4.9%

日本
4.4%

中國
6.6%

台灣
22.3%

埃及
31.1%

印度
3.8%

尼日
4.7%

查德
4.8%

奈及利亞
7.8%

衣索比亞
3.6%

肯亞
6.0%

喀麥隆
9.5%

蒲隆地
4.4%

卡達
33.9%
人口肥胖

泰國
10.8%

馬來西亞
15.3%

菲律賓
6.0%

印尼
6.9%

越南 2.1%

*台灣數據來自台灣衛生福利部,
其他各國數據來自世界衛生組織。
台灣衛福部對肥胖的定義是BMI值
≧27，判讀時請留意。

安哥拉
6.8%

東帝汶
2.9%

澳洲
30.4%

南非
27.0%

紐西蘭 32.0%

今天吃了多少卡路里？

富裕國家的人民通常吃得比貧窮國家的人民來得多，
各國日常飲食的內容也大不相同，
有的國家吃比較多肉，有的國家則攝取較多蔬菜。

各國的日常飲食內容

這張地圖標示出每日平均攝取熱量較高和較低的幾個代表性國家，並分析這些熱量分別來自哪類食物。

（熱量單位:1大卡=1000卡路里）

美國
3,641大卡
469大卡
504大卡
1,342大卡
799大卡
527大卡

全球平均
2,870大卡
272大卡
497大卡
570大卡
1,296大卡
235大卡

墨西哥
3,021大卡
329大卡
335大卡
772大卡
1,302大卡
283大卡

巴西
3,286大卡
448大卡
599大卡
932大卡
954大卡
353大卡

圖例說明

肉類	穀物類	糖類、脂肪類	乳製品	農產品
畜肉、禽肉和魚肉	米飯、小麥和玉米	糖類和植物油	雞蛋、牛奶和動物性脂肪	水果、蔬菜和豆類

麥當勞的速食狂熱現象

在短短70年內，麥當勞已經從美國的一間餐廳擴增為……

分布	共設有	每日服務
119個 國家	**3萬8,695間** 分店	**6,900萬名** 顧客

誰是速食界霸主？

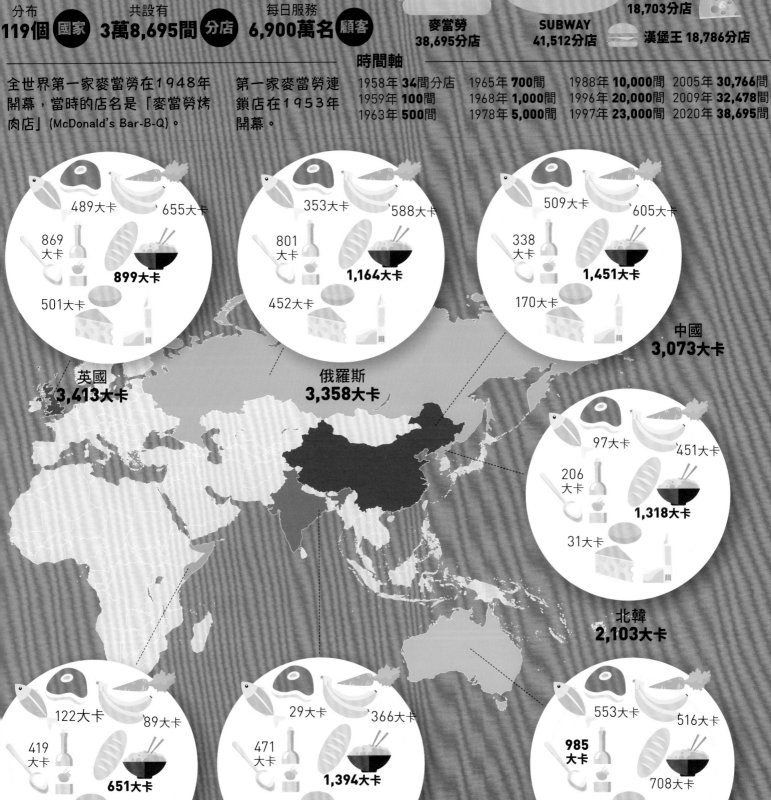

肯德基 24,104分店

必勝客 18,703分店

麥當勞 38,695分店

SUBWAY 41,512分店

漢堡王 18,786分店

全世界第一家麥當勞在1948年開幕，當時的店名是「麥當勞烤肉店」(McDonald's Bar-B-Q)。

第一家麥當勞連鎖店在1953年開幕。

時間軸

1958年 **34**間分店	1965年 **700**間	1988年 **10,000**間	2005年 **30,766**間
1959年 **100**間	1968年 **1,000**間	1996年 **20,000**間	2009年 **32,478**間
1963年 **500**間	1978年 **5,000**間	1997年 **23,000**間	2020年 **38,695**間

英國 **3,413大卡**
- 489大卡
- 655大卡
- 869大卡
- 899大卡
- 501大卡

俄羅斯 **3,358大卡**
- 353大卡
- 588大卡
- 801大卡
- 1,164大卡
- 452大卡

中國 **3,073大卡**
- 509大卡
- 605大卡
- 338大卡
- 1,451大卡
- 170大卡

北韓 **2,103大卡**
- 97大卡
- 451大卡
- 206大卡
- 1,318大卡
- 31大卡

索馬利亞 **1,695大卡**
- 122大卡
- 89大卡
- 419大卡
- 651大卡
- 414大卡

印度 **2,458大卡**
- 29大卡
- 366大卡
- 471大卡
- 1,394大卡
- 198大卡

澳洲 **3,267大卡**
- 553大卡
- 516大卡
- 985大卡
- 708大卡
- 505大卡

糧食貿易：
糧食不夠吃怎麼辦？

為了養活全國人口，每個國家會自己種植作物，或是從生產過剩的國家進口糧食。
然而，世界上也有些國家窮到買不起糧食。

糧食作物交易排行榜

透過這張地圖，我們能得知全球最大的
農產品進出口國每年交易的金額，
以及營養不良人口占比最高的國家。

英國
出口 **$339億**
美元

美國
進口 **$454億**
美元

法國
進口 **$421億**
美元

海地

進口

出口

美國
出口 **$854億**
美元

前5名
營養不良人口率
最高的國家

中非共和國 **60%**
辛巴威 **51%**
海地 **49%**
北韓 **48%**
尚比亞 **47%**

圖例說明

進口

出口

全國營養不良
人口比例
最高的國家

〔資料年分:2018年[進出口數值]、2017年[各國營養不良人口率]〕

全世界的可耕地並非平均分布在每個國家。
一般而言，高收入國家每人平均分配到的可耕地較大。

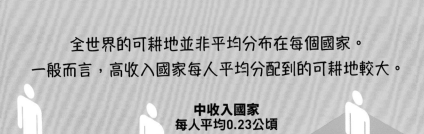

聯合國糧食及農業組織(FAO)指出，
全球共有44億公頃可耕地，
幾乎占了全世界
130億公頃土地總面積的35%。
然而直到2010年，
人類只使用了16億公頃。

(資料年分:2010年)

中收入國家
每人平均0.23公頃

低收入國家
每人平均0.17公頃

高收入國家
每人平均0.37公頃

35%
土地面積

44億公頃

義大利
進口 **$318億**
美元

荷蘭
出口 **$278億**
美元

荷蘭
進口 **$357億**
美元

德國
進口 **$443億**
美元

德國
出口 **$395億**
美元

北韓

中國
出口 **$312億**
美元

中非
共和國

尚比亞

辛巴威

1960年

2015年

1960～2015年間，
全球農業生產力增加了
300%

國際貿易：
能用糖換你的汽車嗎？

每個國家對外銷售與運輸的商品都不同，這是因為各國盛產的原物料都不一樣。
缺乏原物料的國家只能從其他出口國進口原物料，再利用這些原料製造其他產品。

各國最具價值的出口產品

透過這張地圖，我們可以
了解每個國家最賺錢的
主要出口項目。

魚

電子設備
機械裝置
汽車
鑽石

汽車
以及零組件

魚
工業產品

電腦

機械裝置
工程設計產品
農產品

機械裝置

服飾

資本財

食物

磷酸鹽　鈾

天然氣　原油

棉花

鐵

原油

石油與天然氣

服飾與
鞋子

石油與天然氣

糖

魚

鑽石

原油

鋁

運輸設備

原油

橡膠

棉花

石油與天然氣

石油與天然氣

銅

天然氣

運輸設備

可可豆

木材

原油

石油與天然氣

原油

鑽石

大豆

大豆

牛肉

鑽石

鑽石

黃金

出口種類

- ⚫ 石油和天然氣
- ⚪ 食物與飲料
- ◓ 普通金屬與礦產
- ◓ 貴金屬與寶石
- ○ 紡織品與服飾
- ⚫ 機械和運輸工具
- ○ 電子產品
- ⚫ 木材
- ⚫ 其他

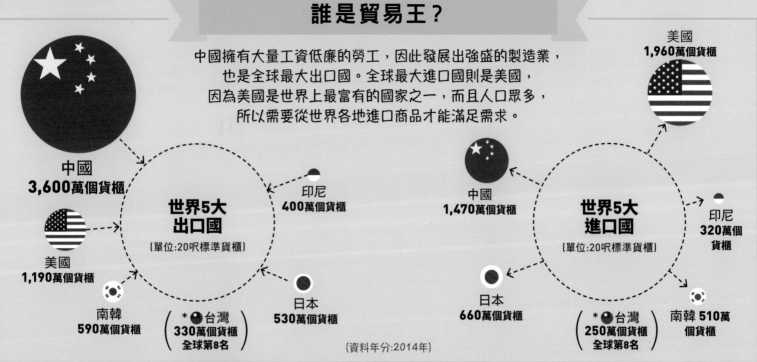

誰是貿易王？

中國擁有大量工資低廉的勞工，因此發展出強盛的製造業，也是全球最大出口國。全球最大進口國則是美國，因為美國是世界上最富有的國家之一，而且人口眾多，所以需要從世界各地進口商品才能滿足需求。

世界5大出口國
〔單位：20呎標準貨櫃〕

中國
3,600萬個貨櫃

美國
1,190萬個貨櫃

南韓
590萬個貨櫃

*台灣
330萬個貨櫃
全球第8名

日本
530萬個貨櫃

印尼
400萬個貨櫃

世界5大進口國
〔單位：20呎標準貨櫃〕

美國
1,960萬個貨櫃

中國
1,470萬個貨櫃

日本
660萬個貨櫃

*台灣
250萬個貨櫃
全球第8名

南韓 510萬個貨櫃

印尼
320萬個貨櫃

（資料年分：2014年）

石油與天然氣

汽車

原油

原油

石油與天然氣

原油

鴉片

紡織品

家畜家禽

黃金

菸草

咖啡

鋁

鉑

濃縮飲料

寶石

茶葉

水泥

木製品

電子產品與機械

原油與天然氣

銅

電子產品與機械

礦產

汽車

半導體

電子產品與機械

服飾

機械與運輸設備

煤

糖

乳製品

海運：
全球最主要的貨運方式

世界上最大的貨船長度比4個足球場還長，一次能載2萬個20呎標準貨櫃。全球90%的貿易貨物都靠國際海運來配送，共有超過5萬艘船舶在全球商船隊中服役。這些船隻的船籍分屬於150多個國家，共僱用超過100萬名船員。

時尚產業的祕辛

流行時尚是一門能賺很多錢的生意。

我們穿的大部分服飾都在貧窮國家製造，販售獲利卻都流進服飾公司的口袋。

這些公司財力雄厚，多半成立於富裕國家。

全球最吸金的時尚品牌

藉由這張地圖，我們可以認識全世界最會賺錢的時尚品牌、它們的起源地，以及品牌價值。

（資料年分:2020年）

Tiffany & Co.
〔珠寶〕
$50億
美元

Coach
〔服飾、精品皮件〕
$68億
美元

勞力士
〔鐘錶〕
$79億
美元

Nike
〔體育用品〕
$348億
美元

美國

法國

西班牙

迪奧
〔化妝品、精品服飾〕
$69億
美元

路易威登(LV)
〔精品皮包〕
$165億
美元

卡地亞
〔珠寶、鐘錶〕
$150億
美元

香奈兒
〔精品服飾、香水〕
$137億
美元

愛馬仕
〔精品皮件〕
$119億
美元

ZARA
〔平價服飾〕
$146億
美元

這樣的薪水合理嗎？

根據亞洲基本工資聯盟的統計報告，下面這份資料反映了服飾生產鏈基層員工的工資水準。上排數字是該國的基本工資，下排數字則是支付生活所需的最低開銷。

孟加拉
基本工資 €49.56歐元
生存門檻 €259.80歐元

中國
€174.60歐元
€376.07歐元

印度
€51.70歐元
€195.30歐元

柬埔寨
€72.64歐元
€285.83歐元

馬來西亞
€196.06歐元
€361.21歐元

一件普通衣服的售價中，只有不到2%的金額歸於勞工。也就是說，製作一件售價300元的襯衫，工人只能分得低於6元的酬勞。

斯里蘭卡
€50.31歐元
€259.46歐元

印尼
€82.14歐元
€266.85歐元

(資料年分:2014年)

H&M
(平價服飾)
$139億美元

瑞典

愛迪達
(體育用品)
$165億美元

義大利

周大福
(珠寶)
$58億美元

Uniqlo
(平價服飾)
$129億美元

日本

香港

Gucci
(精品皮件、服飾)
$176億美元

10大 —棉花生產國—

(資料年分:2019-2020年)

印度 642萬3千公噸/年
中國 593萬3千公噸/年
美國 433萬6千公噸/年
巴西 291萬8千公噸/年
巴基斯坦 135萬公噸/年
烏茲別克 76萬2千公噸/年
土耳其 75萬1千公噸/年
希臘 36萬5千公噸/年
墨西哥 34萬2千公噸/年
阿根廷 30萬5千公噸/年

每年印度的棉花產量相當於
3萬5,000隻藍鯨
的重量。

75

用比特幣買披薩

目前全球大約有180種不同的法定貨幣流通中，
這些貨幣是由政府核准發行，可以用來換取貨品和服務。
除此之外，我們現在還多了「虛擬貨幣」〔例如比特幣〕可供交易，
與法定貨幣不同的是，這種貨幣並非由國家銀行或是政府管理控制。

全世界的貨幣種類

從這張地圖可以得知世界
各地使用的貨幣種類。目
前大約有20幾個國家使用
歐元，跟使用美元的國家
數目勢均力敵。

貨幣種類

- 元/披索/黑奧
  Dollar/Peso/Real
- 第納爾
  Dinar
- 歐元
  Euro
- 盧比/盾
  Rupee/Rupiah
- 法郎
  Franc
- 里拉/鎊
  Lira/Pound
- 先令
  Shilling
- 盧布
  Ruble
- 克朗
  Krona
- 里亞爾
  Rial/Riyal
- 日圓/人民幣/韓圜
  Yen/Yuan/Won
- 其他
- 沒有發行通用貨幣

千奇百怪的貨幣

從前，世界各地的人們會用各種稀奇古怪的物品充當貨幣，來交換商品和服務。
這些物品包括鹽、動物毛皮、金屬物件，甚至是巨大的石輪。

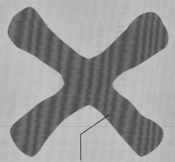

基西便士
這樣一根長達40公分的T型
鐵片也是貨幣，在19世紀末
的西非地區流通。

松鼠毛皮
流通於中世紀
的俄羅斯。

喀坦加十字硬幣
這種銅製的十字硬幣，單個就
重達1公斤，直到20世紀初，
都還在中非地區流通。

雅浦島石幣
20世紀初之前的密克羅尼西亞，
使用這種巨大的石頭當作貨幣，
石頭的直徑甚至超過3公尺。

2010年5月22日，
美國人拉斯洛·漢耶茲
花了1萬比特幣
只買到2個披薩
〔大約25美元〕。

**x10,000
比特幣**

10年後，
由於比特幣的需求高漲，
1萬比特幣已經相當於

2億美元

什麼是比特幣？

比特幣是一種虛擬貨幣，可以用來購買
某些商品和服務。這種貨幣並非由銀行
或政府控制，而是人們利用超級電腦破解數學
問題後，作為「採礦」的獎勵發行。
不過，有65%透過「挖採」和購買
的比特幣從未被使用過，這些比特幣現
在仍靜靜地待在「閒置的錢包」中。

電話熱線中

各國人民聯繫彼此的方式不盡相同，主因在於硬體設備的差異。
有些國家利用光纖、金屬線等固定式線路，
來形成通訊品質較好的大型有線網路，即「固網電話線」；
而在缺乏這類基礎設備的國家，居民則多使用仰賴無線網路的行動電話來通訊。

電話使用大調查

法國
58戶

德國
4,040萬條

法國
3,779萬條

美國
1億零728萬條
固網電話線

摩納哥
113戶
有線電話戶數/每100人

維京群島
72戶

維京群島
198個

這張地圖標出了
主要固網電話線最多的5個國家，
以及有線電話普及率最高的5個國家。
除此之外，這張地圖也告訴我們哪個
國家的人民擁有最多個手機門號，
有些國家（例如澳門、香港）甚至
每人平均擁有2~3個手機門號。

開曼群島
55戶

巴西
3,370萬條

馬爾他
58戶

（資料年分:2019年）

最忙碌的國際熱線

同一國家內的短途市內電話是最常見的通話類型。
而世界上最繁忙的長途國際電話線
則是美國與墨西哥、印度之間的聯繫。
這些電話串起了海外居民與他們的家鄉親友，
讓相隔遙遠的親人可以緊緊貼近彼此的心靈。

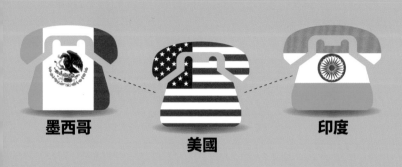

墨西哥 — **美國** — **印度**

固定式電話 VS. 行動電話

截至2014年6月為止，
英國人的有線電話通話時數
比起前一年少了30億分鐘，降低了12.7%，
行動電話的通話時數則增加了2.3%。
隨著無線網路與通訊軟體的普及，
世界各地的行動電話通話時數均逐年下降。

降低 **12.7%** 通話時間

2.3% 通話時間

中國
1億9,103萬條

阿拉伯聯
合大公國
201個

＊台灣2019年資料
1,100萬戶有線電話戶數
〔約為47戶/每100人〕
1,297萬條主要固網電話線
2,920萬個手機門號
〔約為124個手機門號數/每100人〕

塞席爾
198個

澳門
345個
手機門號數/
每100人

香港
289個

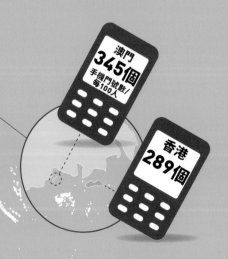

2020年全球
手機門號戶數共有大約
69.5億

登入網路世界

自從網際網路發明以來，全球資訊的交換與傳播方式就大大改變了！
相較於過去以桌上型電腦為主的使用模式，
如今我們更常使用平板電腦與智慧型手機這類輕巧裝置，
以便隨時隨地進入網際網路的世界。

上網數據大解密

圖例說明

桌上型電腦
家戶普及率最高的國家
〔資料年分:2016年〕

平板電腦
使用人數比例最高的國家
〔資料年分:2017年〕

網際網路
使用人數比例最高的國家
〔資料年分:2019年〕

智慧型手機
使用人數比例最高的國家
〔資料年分:2019年〕

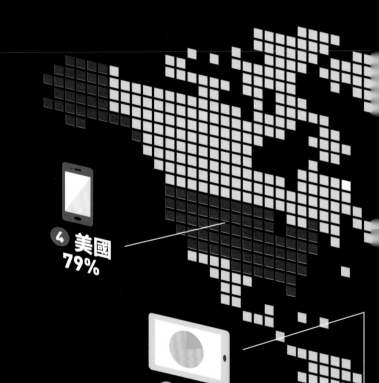

④ 美國
79%

③ 巴西
14%

桌上型電腦VS.智慧型手機VS.平板電腦，誰最受歡迎？

雖然可以預期將有愈來愈多人選擇使用平板電腦，但是桌上型電腦仍在世界各地的家庭中占有重要的一席之地。在此同時，擁有輕便的智慧型手機的人數已經遠遠超過其他網路連線裝置，再加上5G網路逐漸發展成熟，2022年智慧型手機的全球預期銷售量上看22億支。

全球50%
的家戶

擁有桌上型電腦

全球45%
的人口

擁有智慧型手機

全球19%
的人口

擁有平板電腦

在2011到2015年間，全球智慧型手機的銷售量暴增了423%。

2011年- 4.72億支
2012年- 6.8億支
2013年- 9.68億支
2014年- 13億支
2015年- 20億支智慧型手機

全球智慧型手機銷售量

2014年美國人使用網路的時間中，有55%的時間都是使用行動裝置（智慧型手機和平板電腦）連線。

55%
連線時間
45%

這是行動裝置第一次超越桌上型電腦。

① 冰島 98%

② 英國 15%

① 英國 83%

④ 盧森堡 96%

⑤ 挪威 95%

⑤ 丹麥 98%

② 荷蘭 97.6%

④ 德國 13.5%

③ 德國 80%

③ 科威特 99.5%

① 法國 17%

③ 卡達 97%

② 阿拉伯聯合大公國 82%

④ 阿拉伯聯合大公國 99.1%

⑤ 法國 78%

① 巴林 99.7%

② 卡達 99.6%

⑤ 澳洲 13%

你有追蹤他的 IG 嗎？

我們可以透過社群媒體和世界各地的人們聊天並分享照片，
但目前並沒有哪個社群媒體可以在全球暢行無阻，
例如俄羅斯和中國的用戶大多使用當地特有的平台，因此自成一個小圈圈。

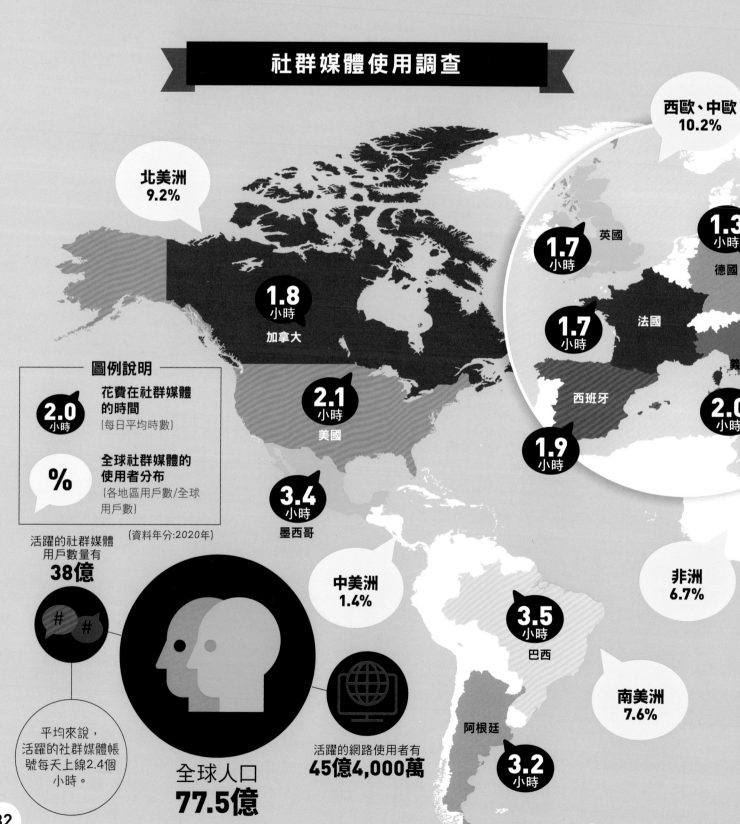

社群媒體使用調查

西歐、中歐
10.2%

北美洲
9.2%

1.7 小時 英國

1.3 小時 德國

1.8 小時 加拿大

1.7 小時 法國

義大

2.0 小時

西班牙

1.9 小時

圖例說明

2.0 小時
花費在社群媒體的時間
〔每日平均時數〕

%
全球社群媒體的使用者分布
〔各地區用戶數/全球用戶數〕

（資料年分：2020年）

2.1 小時 美國

3.4 小時 墨西哥

中美洲
1.4%

非洲
6.7%

3.5 小時 巴西

南美洲
7.6%

活躍的社群媒體用戶數量有
38億

平均來說，活躍的社群媒體帳號每天上線2.4個小時。

全球人口
77.5億

活躍的網路使用者有
45億4,000萬

阿根廷

3.2 小時

最熱鬧的社群媒體

〔每月登入使用的帳號數〕
〔資料年分:2020年〕

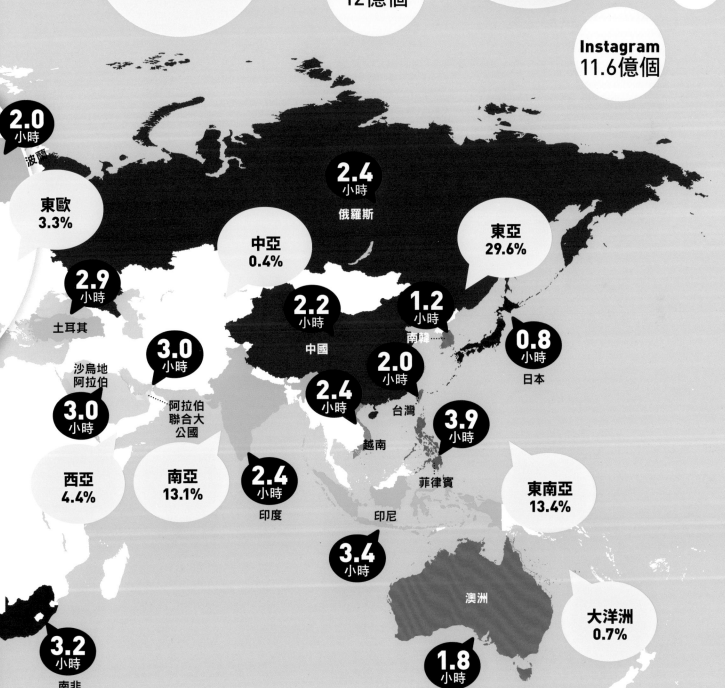

YouTube
20億個

新浪微博
5.2億個

WhatsApp
20億個

微信
12億個

Facebook
27億個
活躍帳號

抖音
6億個

騰訊QQ
6.5億個

TikTok
6.9億個

Instagram
11.6億個

2.0 小時
波蘭

東歐
3.3%

2.4 小時
俄羅斯

東亞
29.6%

2.9 小時
土耳其

中亞
0.4%

2.2 小時
中國

1.2 小時
南韓

0.8 小時
日本

3.0 小時
沙烏地阿拉伯

2.0 小時
台灣

3.0 小時
阿拉伯聯合大公國

2.4 小時
越南

3.9 小時
菲律賓

西亞
4.4%

南亞
13.1%

2.4 小時
印度

東南亞
13.4%

印尼

3.4 小時
澳洲

大洋洲
0.7%

3.2 小時
南非

1.8 小時

83

你會說幾種語言？

全世界的語言超過7,000種，
有些語言因為使用的人口眾多，
因而擁有廣大的使用族群，例如華語和印地語；
有些則因原使用者到處殖民而普及全球，例如英語和西班牙語。

全球10大語言使用分布圖

透過這張地圖，
我們可以知道各國主要使用的語言。

語言

- 阿拉伯語
- 孟加拉語
- 英語
- 德語
- 法語
- 印地語
- 華語
- 葡萄牙語
- 俄羅斯語
- 西班牙語
- 其他〔例如義大利語和希臘語〕

如何把嘴上說的寫出來？

我們要把語言轉化成文字時，會使用符號系統
來呈現字母、聲調，以及整個字詞。
這套書寫系統中的符號有些是簡單的
線條，有些則是形狀複雜的圖示。

Latin alphabet
拉丁字母
〔於許多歐洲國家使用〕

Ελληνικο αλφαβητο
希臘字母
〔於希臘使用〕

大家都用什麼語言來GOOGLE？

從使用者居住地分布的角度來看，
大量的網路使用者住在北美洲、英國和大洋洲，
這也難怪英語是最常被使用的網路搜尋語言。

網民語言大調查〔使用該語言搜尋的次數占總體比例〕

英語	**25.3%**
華語	**19.8%**
西班牙語	**8%**
阿拉伯語	**4.8%**
葡萄牙語 **4.1%**	印尼語、馬來語 **4.1%**

日語 **3%**
俄語 **2.8%**
法語 **2.8%**
德語 **2.2%**

學會哪種語言就能走遍天下？

大英帝國的版圖曾經涵蓋全球三分之一的土地，這也是為什麼英語的普及率高過其他任何一種語言。葡萄牙、法國和西班牙這幾個年代更久遠的帝國，他們的語言也在全球開枝散葉。至於北非和西亞國家則是阿拉伯語的天下。

葡萄牙語 11國

法語 51國

阿拉伯語 59國

俄羅斯語 11國

英語 普及於 101國

西班牙 31國

Кириллица алфавит

日本語の漢字

西里爾字母
〔於俄羅斯使用〕

日文漢字
〔於日本使用〕

85

終於放假啦！

人們去哪裡度假，以及能休假幾天，
往往根據個人預算多寡，與擁有的假期天數來安排。
同時，度假地點的氣候狀況與當地旅遊設備的完備程度，
也是左右旅遊計畫的關鍵原因。

超級熱門的度假勝地

透過下列圖表，我們可以得知這幾個國家每年外國觀光客的
參訪人數，還有全球最受歡迎的觀光景點。

(資料年分:2018年)

觀光客必訪景點
法國巴黎，聖母院

法國 8,940萬人次/年 **1**

美國 7,962萬人次/年 **3**

西班牙 8,277萬人次/年 **2**

義大利 6,215萬人/年 **5**

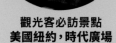

觀光客必訪景點
美國紐約，時代廣場

觀光客必訪景點
西班牙格拉納達，
阿爾罕布拉宮

觀光客必訪景點
梵蒂岡，聖彼得大教堂

誰的有薪假期最多？

透過下面的圖表，我們可以知道每年勞工有薪假天數
最多與最少的國家分別是哪些。

39天	西班牙
38天	奧地利
35天	葡萄牙
33天	德國
31天	法國、紐西蘭
30 天	義大利、比利時
25天	日本
有薪假最多的國家 19天	加拿大

有薪假最少的國家

10天	美國、中國、印度
8天	越南
6天	奈及利亞

*根據台灣勞基法規範，勞工每年擁有11天的國定假日，
任職6個月以上的員工則至少擁有3天的特別休假。

中國 6,290萬人次/年

4

*台灣2018年資料：
1,107萬旅客人次；
137.1億美元觀光
外匯收入

觀光客必訪景點
中國北京，紫禁城

觀光是門大生意

短暫停留的遊客和多日久待的度假客，
能為一個國家帶來可觀的收入。
下圖告訴我們哪些國家靠著觀光賺了最多錢。

觀光收入排行榜
(資料年分:2018年)

德國 $603億美元/年

泰國 $652億美元/年

法國 $731億美元/年

西班牙 $813億美元/年

美國 $2,561億美元/年

來慶典狂歡吧

世界各地每年都會舉行各種人潮眾多的盛大慶典，
其中許多慶典是為了宗教目的而舉行，
因此總有大批人們展開朝聖之旅，前往慶典所在的聖地。

世界各地的嘉年華盛會

「嘉年華會」(carnival) 這個詞源自拉丁文的「carne vale」，
意思是「肉，再見」，指的是基督徒在大齋節之前最後的吃肉機會。
目前許多嘉年華會仍維持在大齋節之前舉辦，
倫敦與多倫多的嘉年華會則改到下半年才舉行，而且慶祝目的也有所轉變。

卡巴拉　麥加

哈里德瓦
阿拉哈巴德

馬尼拉

烏佳因

納西克

里約熱
內盧

最盛大的宗教集會

世界青年日
羅馬天主教的青年節
每2～3年舉辦一次。
**2013年有370萬人在
巴西里約熱內盧共襄
盛舉。**

朝覲
一年一次伊斯蘭教徒
前往沙烏地阿拉伯
麥加的朝聖活動。
**2019年約有250萬人
踏上旅程。**

大壺節
這個印度教的朝聖活動，
每3年在印度的哈里
德瓦、阿拉哈巴德、
納西克和烏佳因這4個
城市輪流舉行。
2019年有1億2,000萬人參加。

阿巴因節
每年在伊拉克卡巴拉
舉辦的什葉派穆斯林
朝聖活動。
**2019年有1,800萬人
參加。**

教宗方濟各的彌撒
2015年教宗方濟各
前往菲律賓參訪5天，
1月18日在馬尼拉主持
聖餐禮，參加人數將近
**700萬人，是史上最大
的彌撒。**

1 Mardi Gras

美國，紐奧良
懺悔星期二
120萬人

2 Carnevale

義大利，威尼斯
懺悔星期二
3萬人

3 Carnival

千里達及托巴哥，西班牙港
聖灰星期三前的週日
30萬人

4 Carnival

英國，倫敦，諾丁丘
8月最後1個週末
160萬人

5 Carnaval

西班牙，特內里費島
懺悔星期二
25萬人

6 Karneval

德國，科隆
玫瑰星期一
100萬人

7 Carnival

巴西，里約熱內盧
聖灰星期三之前的週五
200萬人

8 Intrz

印度，果亞
聖灰星期三前的週六
20萬人

9 Carnival

哥倫比亞，巴蘭基亞
聖灰星期三前的星期六
100萬人

10 Caribana

加拿大，多倫多
8月的第1個週末
130萬人

（*本頁所附外文均為當地「嘉年華」用詞）

不同的文化·不同的信仰

全球有超過80%的人口都有宗教信仰，
其中23.8億人是基督徒，19億人是伊斯蘭教徒〔自稱穆斯林〕，
11.6億人是印度教徒，5億人是佛教徒，1,500萬人是猶太教徒。

世界主要宗教

透過從這張地圖，我們能知道各國最多人所信仰的宗教。

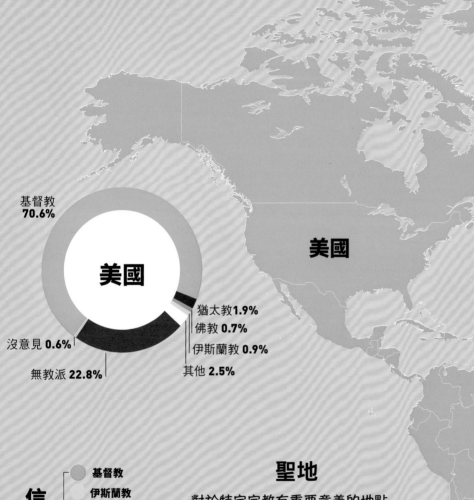

基督教
70.6%

美國

美國

猶太教 **1.9%**
佛教 **0.7%**
伊斯蘭教 **0.9%**

沒意見 **0.6%**

無教派 **22.8%**

其他 **2.5%**

梵蒂岡
梵蒂岡坐落在
義大利羅馬市中，
是天主教的信仰
中心，也是天主
教會領袖——
教宗的居住地。

奈及利亞

奈及利亞

基督教
46.9%

其他 **2%**

伊斯蘭教
51.1%

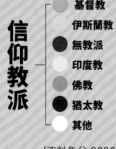

信仰教派

- 基督教
- 伊斯蘭教
- 無教派
- 印度教
- 佛教
- 猶太教
- 其他

〔資料年分:2020年〕

聖地

對於特定宗教有重要意義的地點，
常被尊奉為「聖地」。
聖地上大多有重要的建築或場所，
吸引千萬的信徒跋涉前往，
而這趟前往聖地的旅程
就稱為「朝聖」。

沙烏地阿拉伯，麥加
麥加是先知穆罕默德的出生地，對於伊斯蘭教徒來說也是最神聖的城市。每年都有成千上萬的穆斯林到麥加朝聖。

以色列／約旦河西岸，耶路撒冷
耶路撒冷同時是猶太教、基督教和伊斯蘭教這三大宗教的聖地。

印度，阿木理查
位於印度阿木理查的金廟，是錫克教的信仰中心。

印度，瓦拉納西
瓦拉納西位於恆河畔，是印度教的聖地之一。無數人們來到這個城市就是為了能在神聖的恆河中沐浴。

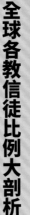

全球各教信徒比例大剖析

猶太教徒 **0.2%**
其他 **6.2%**
佛教徒 **6.6%**
印度教 **15.2%**
無教派 **15.6%**
伊斯蘭教 **24.9%**
基督教 **31.3%**

印度，菩提伽耶
據傳是釋迦牟尼悟道成佛之處，因此成為佛教的朝聖地。

印度

伊斯蘭教 87.0%

印尼

印尼

印度教徒 **1.6%**

基督教 **10.2%**

其他 **1.2%**

印度教 **78.9%**

印度

伊斯蘭教 **15.4%**

其他 **1.6%**

基督教 **2.4%**

錫克教 **1.7%**

射門，得分！

足球是世界上最受歡迎的運動，
業餘和職業球員加起來大約有2億5,000萬名，
而且全球有13億球迷遍布在200多個國家。

世界足球熱

這張地圖告訴我們全球擁有最多足球迷的國家、
財力最雄厚的足球俱樂部所在地，以及最大的足球場。

(*在國際足球賽中沒有英國隊，而是由英格蘭、蘇格蘭、
威爾斯、北愛爾蘭各自獨立組隊參賽。)

英格蘭，倫敦
溫布利球場
9萬人

西班牙
巴塞隆納
諾坎普球場
9萬9,354人

TOP 6最多
足球俱樂部
的國家

*英格蘭
4萬2,490個
俱樂部

巴西
2萬9,208個
俱樂部

德國
2萬6,837個
俱樂部

美國，帕薩
玫瑰碗球場
9萬零888人

美國
2,447萬2,778
球員

阿爾及利亞，阿爾及爾
一九六二年七月五日體育場
8萬5,000人

法國
2萬零62個
俱樂部

西班牙
1萬8,190個
俱樂部

義大利
1萬6,697個
俱樂部

墨西哥，墨西哥城
阿茲特克球場
8萬7,523人

巴西
1,319萬7,733
球員

圖例說明

 5大最多球員
的國家
擁有最多
職業和業餘球員
的5個國家

 10大最富有的
俱樂部
全球財力最雄厚
的足球俱樂部
（以總價值計算）

 10大足球場
能容納最多觀眾的球場

〔資料年分：2006年〔球員數量、俱樂部數量與財富排名〕、2019年〔球場觀眾容量〕〕

德國
1,630萬8,946
球員

皇家馬德里
（西班牙）
22億6,000萬英鎊

曼徹斯特聯隊
（英格蘭）
21億8,000萬
英鎊

拜仁慕尼黑
（德國）
16億2,000萬英鎊

巴塞隆納
（西班牙）
22億英鎊

曼城
（英格蘭）
9億5,000萬英鎊

利物浦
（英格蘭）
6億8,000萬英鎊

尤文圖斯
（義大利）
5億8,000萬
英鎊

AC米蘭
（義大利）
5億3,700萬
英鎊

兵工廠
（英格蘭）
9億英鎊

切爾西
（英格蘭）
9億4,000萬
英鎊

印度
2,058萬7,900
球員

中國
2,616萬6,335
球員

北韓，平壤
綾羅島五月一日
競技場
11萬4,000人

埃及，亞歷山大港
柏格阿拉伯體育場
8萬6,000人

武吉加里爾國家體育場
8萬7,411人

南非，約翰尼斯堡
FNB足球城體育場
9萬4,736人

澳洲，墨爾本
墨爾本板球場
10萬零24人

奧林匹克運動會

每隔4年，全球上萬名運動員就會齊聚一堂，在夏季和冬季奧林匹克運動會中一較高下。

截至目前為止，在夏季奧運中獲得最多獎牌的國家是美國，

金、銀、銅牌合計2,522面。

奧運大贏家

132
面
挪威

1994年
1952年
1912

11
面
263
面
英國

1908年
1948年
2012年

1928年

1920年

1936年 1972年
1928年
1948年
1900年
1924年
2024年
1924年   1964年
1992年   1976年
1968年   2006年
1956年

1984年

73
面
64
面
加拿大

2010年

1988年

2002年

1960年

105
面
1022
面
美國

1976年

1932年
1980年

212
面
法國

1904年

1996年

1932年
1984年

1968年

22
面
牙買加

1992年 1960年

義大利

206
面

30
面
巴西

2016年

我們可以從這張地圖得知各國在夏季和冬季奧運中獲取的獎牌數量，以及哪些城市曾經舉辦過奧運。

2
面
烏拉圭

圖例說明

夏奧金牌數
在夏季奧運
獲得的金牌數目

冬奧金牌數
在冬季奧運
獲得的金牌數目

夏奧主辦城市

冬奧主辦城市

希臘，雅典 1896年
法國，巴黎 1900年
美國，聖路易 1904年
英國，倫敦 1908年
瑞典，斯德哥爾摩 1912年
比利時，安特衛普 1920年
法國，巴黎 1924年
荷蘭，阿姆斯特丹 1928年
美國，洛杉磯 1932年
德國，柏林 1936年
英國，倫敦 1948年
芬蘭，赫爾辛基 1952年
澳洲，墨爾本 1956年
義大利，羅馬 1960年
日本，東京 1964年

墨西哥，墨西哥城 1968年
德國，慕尼黑 1972年
加拿大，蒙特婁 1976年
蘇維埃聯邦，莫斯科 1980年
美國，洛杉磯 1984年
南韓，首爾 1988年
西班牙，巴塞隆納 1992年
美國，亞特蘭大 1996年
澳洲，雪梨 2000年
希臘，雅典 2004年
中國，北京 2008年
英國，倫敦 2012年
巴西，里約熱內盧 2016年
日本，東京 2020年
法國，巴黎 2024年

法國，夏慕尼 1924年
瑞士，聖莫里茲 1928年
美國，普拉西德湖 1932年
德國，加米希-帕騰基亨 1936年
瑞士，聖莫里茲 1948年
挪威，奧斯陸 1952年
義大利，柯蒂納戴比索 1956年
美國，斯科谷 1960年
奧地利，因斯布魯克 1964年
法國，格勒諾勃 1968年
日本，札幌 1972年
奧地利，因斯布魯克 1976年
美國，普拉西德湖 1980年
南斯拉夫，塞拉耶佛 1984年

加拿大，卡加立 1988年
法國，亞伯特維勒 1992年
挪威，利勒哈麥 1994年
日本，長野 1998年
美國，鹽湖城 2002年
義大利，杜林 2006年
加拿大，溫哥華 2010年
俄羅斯，索奇 2014年
南韓，平昌 2018年
中國，北京 2022年

(*因為全球COVID-19疫情影響，2020東京奧運停辦，預計延期至2021年)

321，電影開麥拉

電影的製作和放映是遍布全球的國際事業，
最賣座的電影能創下超過10億美金的票房佳績。
當今的電影工業已擴大至世界各地，範圍遠遠超出發源地好萊塢。

電影產量一覽表

由這張地圖我們可以知道
各國電影的年產量，
並了解這些電影使用
幾種語言來拍攝。

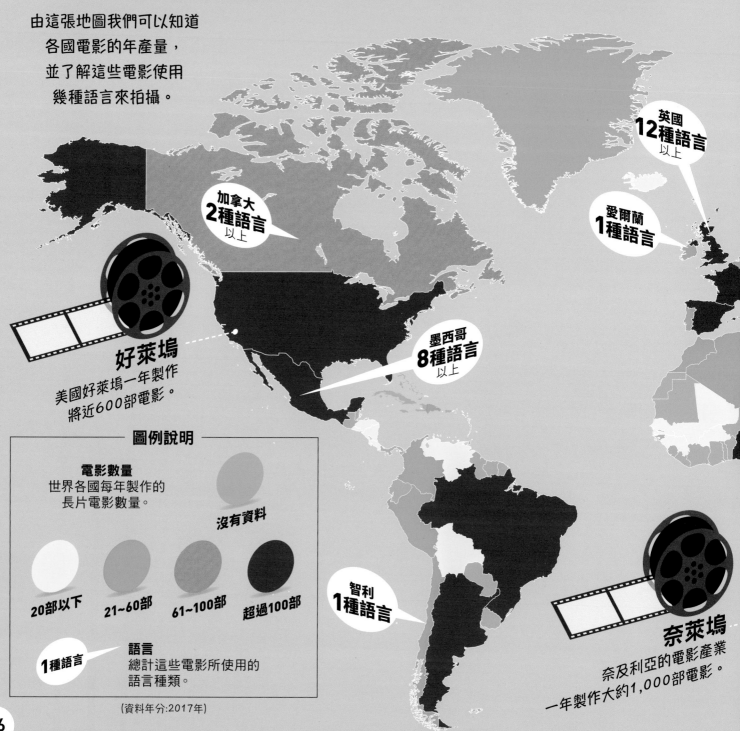

英國
12種語言
以上

愛爾蘭
1種語言

加拿大
2種語言
以上

墨西哥
8種語言
以上

好萊塢
美國好萊塢一年製作
將近600部電影。

圖例說明

電影數量
世界各國每年製作的
長片電影數量。

沒有資料

20部以下　21~60部　61~100部　超過100部

1種語言　**語言**
總計這些電影所使用的
語言種類。

智利
1種語言

奈萊塢
奈及利亞的電影產業
一年製作大約1,000部電影。

（資料年分:2017年）

電影票房比一比

每年各國電影院
入場人次

印度 電影票 入場券 **20.2** 億人次

雖然美國的電影觀影人次僅居於世界第3，
但是每年票房可達100億美金，
約占全球票房收入的25%，
是全世界票房收入最高的國家。

法國 電影票 入場券 **2.1** 億人次

美國 電影票 入場券 **12.4** 億人次

南韓 電影票 入場券 **2.3** 億人次

日本
2億人次
英國
1.8億人次

中國 電影票 入場券 **17.3** 億人次

墨西哥 電影票 入場券 **3.5** 億人次

俄羅斯 電影票 入場券 **2.2** 億人次

(*台灣
4623萬人次)

(資料年分:2019年)

芬蘭
7種語言
以上

土耳其
2種語言

中國
電影市場

2019年
中國票房收入
92億美元，
相比2014年
成長了**91%**。

相較之下，同期全球電影
票房僅增加17%。

截至2019年年底，
中國已有
1萬2,400間電影院。

埃及
1種語言

卡達
13種語言

印度
6種語言
以上

寶萊塢
印度的電影產業每年製作
超過1,200部電影。

音樂聽到飽

近年來實體CD逐漸銷聲匿跡，數位音樂的發展卻愈來愈蓬勃。
音樂產業的產值自2015年起節節高升，
尤其自2017年起，光是串流音樂的收益就突破總額的50%。

音樂產值與音樂祭

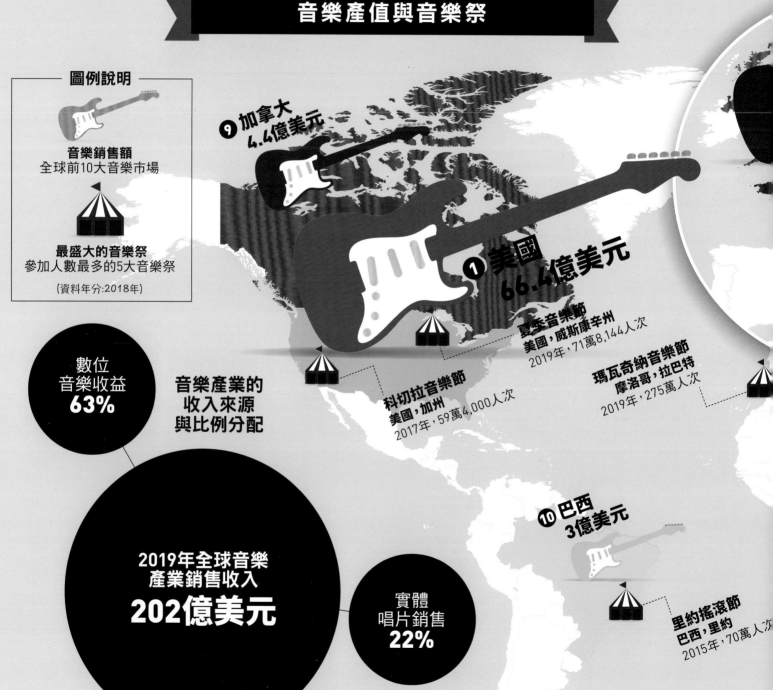

圖例說明

音樂銷售額
全球前10大音樂市場

最盛大的音樂祭
參加人數最多的5大音樂祭

（資料年分：2018年）

❾ 加拿大
4.4億美元

❶ 美國
66.4億美元

夏季音樂節
美國，威斯康辛州
2019年，71萬8,144人次

科切拉音樂節
美國，加州
2017年，59萬4,000人次

瑪瓦奇納音樂節
摩洛哥，拉巴特
2019年，275萬人次

數位
音樂收益
63%

音樂產業的
收入來源
與比例分配

2019年全球音樂
產業銷售收入
202億美元

實體
唱片銷售
22%

❿ 巴西
3億美元

里約搖滾節
巴西，里約
2015年，70萬人次

配樂
（影片、電視、廣告）
2%

公開表演權
13%

（資料年分：2019年）

98

數位音樂收益

線上購買和收聽樂曲的行為，已讓音樂產業產生巨大變化。
2015年數位音樂的銷售額首次超過實體唱片，
數位音樂收入的收入占比更是逐年增加。

2007年	2009年	2011年	2013年	2015年	2017年	2019年
16%	**26%**	**33%**	**40%**	**45%**	**54%**	**63%**

❸ 英國
14億美元

❹ 德國
13.1億美元

❺ 法國
9.9億美元

多瑙島音樂節
奧地利，維也納
2015年，330萬人次

❻ 南韓
6億美元

❼ 中國 5.3億美元

❷ 日本
28.7億美元

黑膠唱片大復活

黑膠唱片目前仍屬小眾市場，
2020年上半年度銷售額
占美國整體音樂銷售的4%，
卻已經超越CD，
是自1986年以來的首次逆轉！

4%
銷售額

❽ 澳洲
4.5億美元

下一位
諾貝爾獎得主在哪裡？

一個國家在教育上投資的金額，往往可以反映該國在科學和工業上的成就。
生活在世界上最貧窮地區的人，通常就是最難獲得教育資源的那群人。

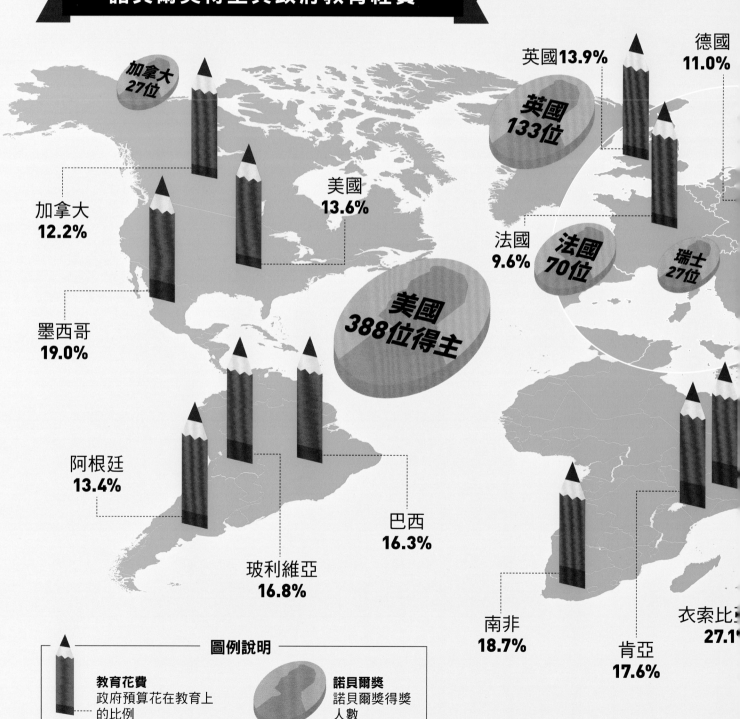

諾貝爾獎得主與政府教育經費

加拿大
27位

英國 **13.9%**

德國
11.0%

英國
133位

美國
13.6%

加拿大
12.2%

法國
9.6%

法國
70位

瑞士
27位

美國
388位得主

墨西哥
19.0%

阿根廷
13.4%

巴西
16.3%

玻利維亞
16.8%

南非
18.7%

衣索比亞
27.1%

肯亞
17.6%

— 圖例說明 —

教育花費
政府預算花在教育上
的比例

諾貝爾獎
諾貝爾獎得獎
人數

〔資料年分:世界銀行資料庫最新紀錄〔教育花費〕、
2020年〔諾貝爾獎得主〕〕

每位老師平均教幾位學生？

富裕國家（例如美國和芬蘭）投入在教育的經費較多，
因此教師的名額通常也比貧窮國家（例如孟加拉）要來得多。

中學教育生師比

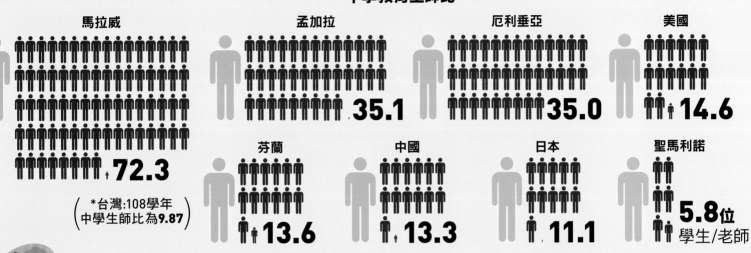

馬拉威
72.3

（*台灣:108學年
中學生師比為**9.87**）

孟加拉
35.1

厄利垂亞
35.0

美國
14.6

芬蘭
13.6

中國
13.3

日本
11.1

聖馬利諾
5.8位
學生/老師

（資料年分:2016~2017年）

諾貝爾獎

諾貝爾獎的創辦人是瑞典工程師及發明
家阿弗列·諾貝爾，這項榮譽頒發給在
藝術、科學、政治上有傑出成就的人，
得獎者也被稱為「獲得桂冠的人」。

瑞典
32位

德國
109位

俄羅斯
31位

日本
28位

日本
9.1%

印度
14.1%

*台灣:
1位得主[1986年]
20.2%[2019年]

澳洲
22位

澳洲
14.1%

到了2018年，全球仍有
5,900萬名
學齡孩童沒有上學。
〔其中55%是女孩〕

這20年來，青少年識字率
從83%提升到91%。

不過，不會讀寫或算數的
15~24歲青少年仍有
1億1,500萬名。

教育是一種投資

在教育上的投資
能夠改善
國家整體的經濟狀態。

$1美元 = **$10美元**

投資教育
和技術

經濟成長

你也是小書書蟲嗎？

每年全球有超過100萬種書籍以不同的語言出版，

雖然中國的新書出版量是全球第一名，

但是若把人口數也列入考慮，台灣的人均出版量幾乎是中國的10倍！

全球出版概況

從這張地圖可以看出擁有最大出版市場國家的年度出版營收，
以及幾個有史以來最暢銷的作家，和他們書籍的銷售量。

各國新書數量比一比

國家	新書數量
美國	348萬5,322種
中國	24萬7,108種
英國	18萬5,721種
俄羅斯	10萬3,826種
德國	13萬9,940種
巴西	9萬5,336種
義大利	13萬7,397種
日本	9萬5,129種
印度	12萬9,326種
西班牙	8萬6,872種
土耳其	6萬7,135種

*台灣：3萬9,114種新書/年；
出版業年營收6.4億美金

美國
2331億美元

俄羅斯
列夫·托爾斯泰
4.13億冊

瑞典
阿思緹·林格倫
1.45億冊

中國
金庸
3億冊

日本
赤川次郎
3億冊

德國
61億
美元

中國
135億
美元

其他吸引眼球與耳朵——
的影視娛樂
（全球年營收）

書籍出版
928億美元

報紙雜誌
1,712億美元

串流影視
160億美元

音樂
202億美元

電玩
1,201億美元

（資料年分：2019年）

尚比亞
威布爾‧史密斯
1.2億冊

西班牙
科琳‧帖雅朵
4億冊

英國
54億
美元

英國
威廉‧莎士比亞
40億冊

法國
喬治‧西默農
71億冊

巴西
保羅‧柯爾賀
1.4億冊

美國
丹妮爾‧斯蒂
8億冊

2019年，亞洲及太平洋地區
的出版營收占了全球的34%，
是世界第一；北美地區的占
比也是34%，緊追其後。

圖例說明

四大出版市場
一年的銷售總額

國家
作家
銷售量

全球最暢銷的作家
與他的作品的
估計銷售冊數

（資料年分：2018年）

教育和讀寫能力

讀寫能力是良好教育的基礎，
然而世界各地的讀寫能力與水準差異極大，
這往往與國家的富有程度息息相關。
即便同一個國家，
男性和女性的識字程度和教育水準也可能天差地遠。

識字率

從這張地圖我們可以看出成人識字率最高與最低的國家，
以及了解這些國家裡兩性識字率的差異。

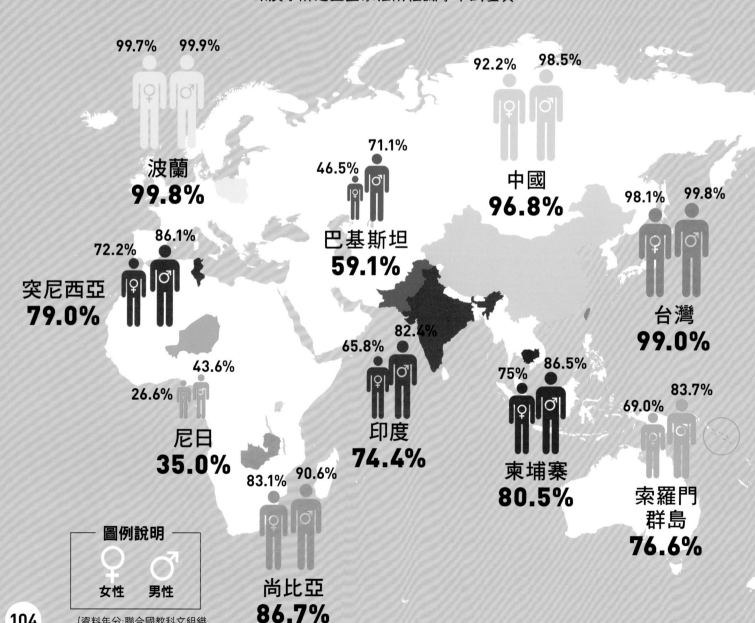

波蘭
99.7%　99.9%
99.8%

突尼西亞
72.2%　86.1%
79.0%

尼日
26.6%　43.6%
35.0%

巴基斯坦
46.5%　71.1%
59.1%

印度
65.8%　82.4%
74.4%

尚比亞
83.1%　90.6%
86.7%

中國
92.2%　98.5%
96.8%

台灣
98.1%　99.8%
99.0%

柬埔寨
75%　86.5%
80.5%

**索羅門
群島**
69.0%　83.7%
76.6%

圖例說明
♀　♂
女性　**男性**

〔資料年分:聯合國教科文組織
資料庫最新紀錄〕

就學時間比一比

富裕的國家（例如澳洲）通常會比貧窮的國家（例如尼日）花費更多資金在中小學與大專院校上。
因此，富裕國家的人民就學時間更長、識字率更高，就業條件也更好。

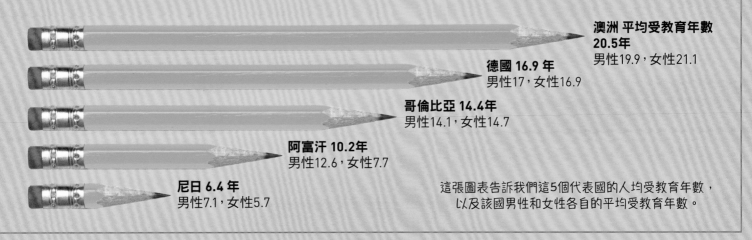

澳洲 平均受教育年數
20.5年
男性19.9，女性21.1

德國 16.9 年
男性17，女性16.9

哥倫比亞 14.4年
男性14.1，女性14.7

阿富汗 10.2年
男性12.6，女性7.7

尼日 6.4 年
男性7.1，女性5.7

這張圖表告訴我們這5個代表國的人均受教育年數，
以及該國男性和女性各自的平均受教育年數。

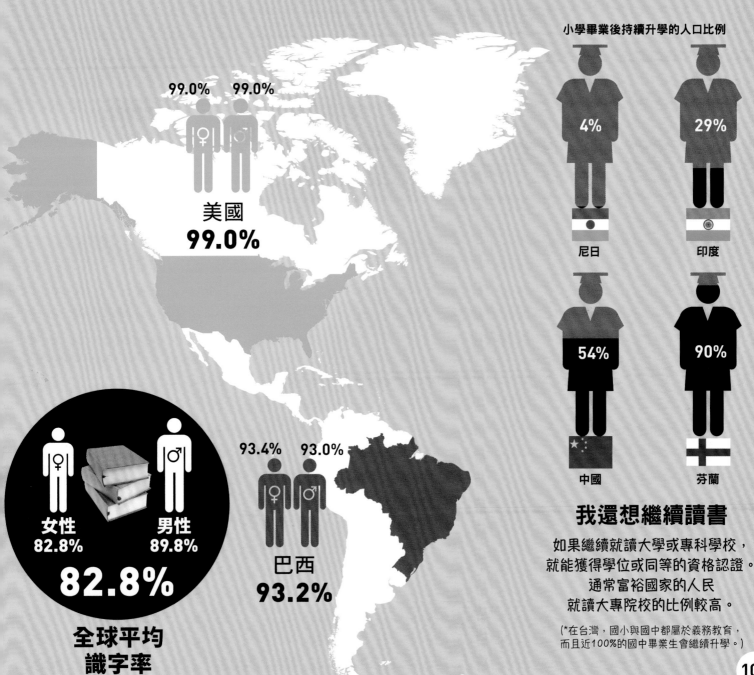

小學畢業後持續升學的人口比例

99.0%　99.0%

美國
99.0%

4%　尼日

29%　印度

54%　中國

90%　芬蘭

93.4%　93.0%

巴西
93.2%

女性
82.8%　男性
89.8%

82.8%

全球平均
識字率

我還想繼續讀書

如果繼續就讀大學或專科學校，
就能獲得學位或同等的資格認證。
通常富裕國家的人民
就讀大專院校的比例較高。

（*在台灣，國小與國中都屬於義務教育，
而且近100%的國中畢業生會繼續升學。）

暗潮洶湧的軍備競賽

國家的軍事部署與規模，往往取決於該國是否涉入全球衝突，以及和鄰近國家的關係，例如南韓國土雖小，但因為和北韓關係緊張，所以部署了大量軍力。

全球武力部署

(資料年份:2021年全球火力Global Firepower估算結果)

這張地圖告訴我們哪些國家擁有最強大的軍事裝備、編列了最多國防預算，同時也揭露了這些國家的軍事人員(包含後備軍人)、坦克車、戰機與軍艦的數量。

俄羅斯
坦克
1萬3,000台

戰機
4,144架

軍事人員
301萬4,000人

軍艦
603艘

日本
軍事人員30萬5,000人
坦克1,004台
戰機1,480架
軍艦155艘

台灣
擁有軍事人員182萬人
坦克1,160台
戰機739架
軍艦117艘

土耳其
軍事人員73萬5,000人
坦克3,045台
戰機1,056架
軍艦149艘

法國
軍事人員30萬5,000人
坦克406台
戰機1,057架
軍艦180艘

英國
軍事人員27萬5,000人
坦克100台
戰機738架
軍艦88艘

南韓
坦克 2,600台
戰機 1,581架
軍事人員 370萬人
軍艦 234艘

中國
坦克 3,205台
戰機 3,260架
軍事人員 269萬5,000人
軍艦 777艘

德國
軍事人員21萬5,000人
坦克244台
戰機701架
軍艦80艘

美國
坦克 6,100台
戰機 1萬3,233架
軍事人員 224萬5,500人
軍艦 490艘

最後的殺手鐧—核子武器

目前全球共有9個國家擁有核彈頭。
雖然大多數核彈都處於儲備或待拆除狀態，
但美國、俄羅斯、英國和法國仍大約有1,800枚核彈
處於高度警戒狀態，一聲令下隨時可以發射。

= 100枚彈頭

俄羅斯 6,370枚 (占全球47.5%)

美國 5,800枚 (43.2%)

中國 320枚 (2.3%)

法國 290枚 (2.2%)

英國 195枚 (1.5%)

巴基斯坦 160枚 (1.2%)

印度 150枚 (1.1%)

以色列 90枚 (0.7%)

北韓 35枚 (0.3%)

總計：1萬3,410枚核彈

(資料年分：2020年)

火箭發射，離開地球表面

隨著地球自轉，赤道上的自轉速度（約1,675公里/小時）比兩極的自轉速度（中心點速度：0公里/小時）要快。

因此，許多火箭發射地點都選在赤道兩側的熱帶地區，

這樣火箭發射時就可藉助地球自轉的助力，提高一開始的飛行速度、降低發射成本。

火箭發射基地

這張地圖標示了全球主要的火箭發射基地。

除了美國和俄羅斯，

持續研發火箭的還有中國、印度和歐洲國家。

此外，也有私人公司自行建造火箭，

開始提供太空運輸服務。

美國
甘迺迪太空中心
位於美國佛羅里達州東海岸，
美國國家航空暨太空總署（NASA）的太空
飛行器，阿波羅登月計畫和美國太空梭
計畫都是從這裡出發。

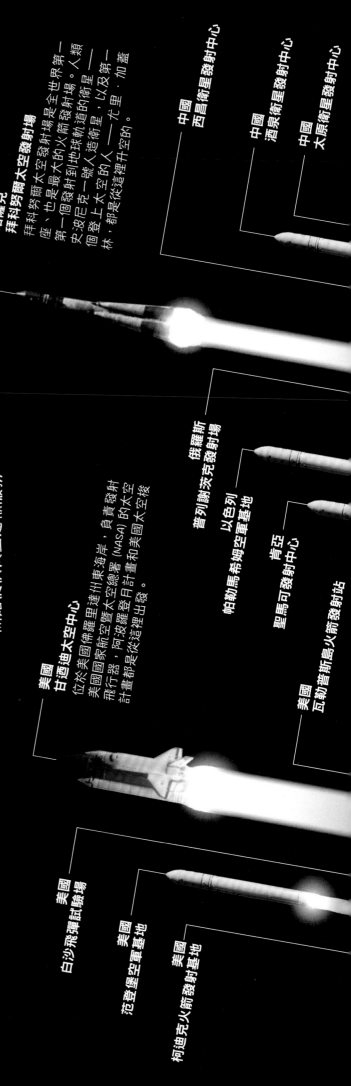

哈薩克
拜科努爾太空發射場
拜科努爾太空發射場是全世界第一
座、也是最大的火箭發射場。人類
第一個發射到地球軌道的衛星——
史波尼克一號，人造衛星，以及第一
個登上太空的人——尤里·加蓋
林，都是從這裡升空的。

中國
西昌衛星發射中心

中國
酒泉衛星發射中心

中國
太原衛星發射中心

俄羅斯
普列謝茨克發射場

以色列
帕勒馬希姆空軍基地

肯亞
聖馬可發射中心

美國
瓦勒普斯島火箭發射站

美國
白沙飛彈試驗場

美國
范登堡空軍基地

柯迪克火箭發射基地

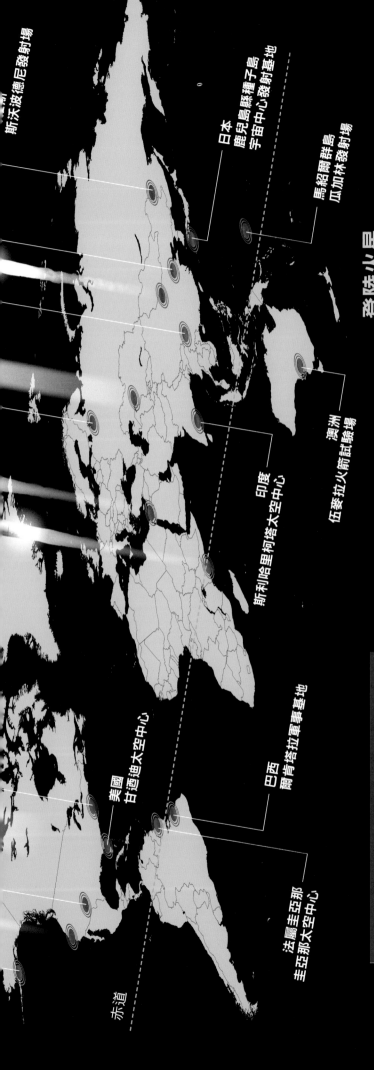

斯沃波德尼發射場

日本
鹿兒島縣種子島
宇宙中心發射基地

馬紹爾群島
瓜加林發射場

印度
斯利哈里柯塔太空中心

澳洲
伍麥拉火箭試驗場

美國
甘迺迪太空中心

巴西
關肯塔拉軍事基地

法屬圭亞那
圭亞那太空中心

赤道

登陸火星

截至2021年2月底，已有9架機器人駕駛的美國NASA太空船成功登陸火星，這些火箭總共攜帶了5台固定式的登陸器，以及5架裝備輪子的探測器，因此能在火星表面四處遊走，研究岩石和大氣結構，並將資料和影像回傳回地球。

(*中國天問一號和毅力號，已低速達環火軌道，預計2021年7月底登陸。)

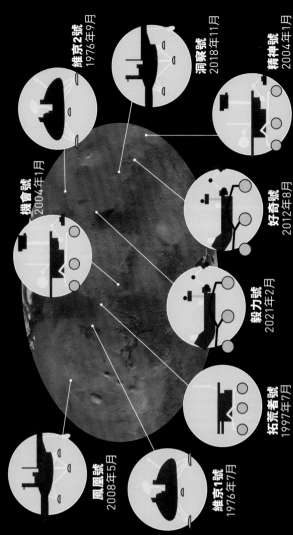

維京2號 1976年9月

洞察號 2018年11月

精神號 2004年1月

好奇號 2012年8月

毅力號 2021年2月

機會號 2004年1月

拓荒者號 1997年7月

鳳凰號 2008年5月

維京1號 1976年7月

登陸月球

直到今日，只有3個國家完成登陸月球的任務。在成功的22次任務中，僅有6次任務搭載太空人，一共12人實際在月球上漫步過。

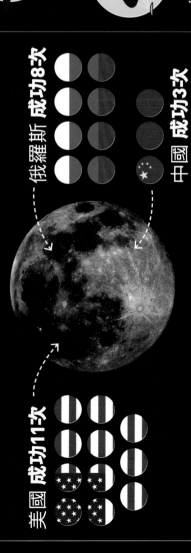

美國 成功11次

俄羅斯 成功8次

中國 成功3次

製作世界地圖

本書中出現的地圖，都是以二維平面的方式來呈現我們的球形世界。
有了地圖，我們就能夠展示各種類型的資訊，
像是國家的規模和人們的聚居地。

地圖投影

將三維的世界轉換成二維的地圖時，會產生不同的影像，這些影像被稱為「投影」。
透過投影，我們能夠展示地球的不同區域。

地球儀
地球的形狀就像是一顆球，
表面由陸地與海洋覆蓋著。

立體化
有些地圖以世界呈現在球上的立
體模樣，僅畫出其中一部分。

平面化
將全世界的地圖用平面的方式呈現。
本書的地圖就是使用這種投影法。

地圖的種類

不同類型的地圖所要傳達與
強調的資訊也不相同。自然
地理圖主要呈現環境特徵，
例如山勢、河流。政治地圖
可以展示國家疆域和城市分
布。示意地圖則格外凸顯某
種特定的主題訊息，通常不
必畫出精確的位置，例如地
鐵路線圖。

自然地理圖

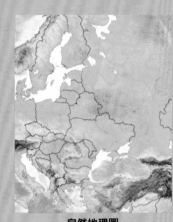
政治地圖

示意地圖

上色的區域

不同大小的圖示

地圖符號

地圖會使用大量的符號或圖示來表現想傳達
的資訊，例如藍線代表河流，不同區域會塗
上不同顏色以便區分。書中有些圖示被用來
標示地點或象徵某物，圖示的大小也可反映
程度與規模的大小 —— 通常圖示愈大，所代
表的數值規模就愈大。

詞彙表

數字

20呎標準貨櫃
TWENTY-FOOT EQUIVALENT UNIT (簡稱TEU)
貨櫃船所能裝載的容量單位。貨櫃指的是堆放在甲板上，裝盛貨物的大型金屬箱。

四劃

文明
CIVILISATIONS
文化高度發展的社會。例如擁有複雜的政治、法律和書寫系統，並有能力創造出巨型的藝術品和建築。

五劃

出口
EXPORT
將商品和服務從生產國運出並銷售到他國。

生育率
FERTILITY RATE
平均每一位婦女一生中生育的子女數量。

生物多樣性
BIODIVERSITY
生物種類愈多、基因歧異度愈高、生態系差異愈大，代表該地區的生物多樣性程度愈高。

市場
MARKET
不同地區和不同產業之間，商品或服務的交易。通常供給和需求的數量會決定交易價格。

卡路里
CALORIE
計算熱量的單位，能測量身體從食物獲得的能量。1卡路里就是將1公克的水升高1°C所需的能量。

六劃

休火山
DORMANT VOLCANO
許久未噴發、但未來仍有可能噴發的火山。

汙水處理
SANITATION
清除廢水中的汙染物（如人體排泄物），用以淨化水源的處理方式。

共和體制
REPUBLIC
由人民選出國家治理者的政治體制。

七劃

君主制
MONARCHY
國家領袖是國王或女王的國家體制。

低收入國家
LOW-INCOME COUNTRY
根據世界銀行2021年的標準，2019年每人平均收入低於1,035美元的國家稱為低收入國家。這個金額門檻會隨著每年的經濟景氣變動。

串流
STREAMING
使用者不需要下載到手機或電腦，即可收看影片或收聽音樂的線上多媒體服務。

投資
INVESTMENT
將錢花在某事或某物上，期待未來能夠帶來利益。

赤道
EQUATOR
地球最寬的那條水平線，也是南北半球的分界線。

八劃

林地復育
REFORESTATION
在被砍伐的林地上重新種植樹木。

呼吸系統
RESPIRATORY SYSTEM
生物體中執行體內和外界氣體交換的系統。在人體中，包含鼻、咽、喉、氣管、支氣管和肺等器官。

肥胖
OBESITY
人體內累積太多的脂肪，以致威脅到健康的身體病況。

板塊
TECTONIC PLATES
地球表面形成地殼的片狀岩層物，彼此間會推擠、碰撞、拉扯、摩擦。

社群網路
SOCIAL NETWORK
使用者可以和他人分享想法、圖片和音樂的網路論壇。

物種
SPECIES
一群性狀非常相似、也能一起繁衍具有生殖能力的後代的生物。

岩漿/熔岩
LAVA
在火山噴發的過程中，接觸到地表的熔化岩石。

九劃

度
KILOWATT HOUR (簡稱KWH)
測量能量轉換或消耗的單位，相當於每小時1,000瓦，常用於測量用電量。

洲
CONTINENT
地球表面上，組成陸地的七大陸塊。

帝國
EMPIRE
經過征服的手段，將廣大的領土上不同的文化與民族納為一體的國家。

十劃

祖先
ANCESTOR
追溯物種或家族來源時,所找到的起源個體或是起源物種。

高收入國家
HIGH-INCOME COUNTRY
根據世界銀行2021年的標準,2019年每人平均收入高於1萬2,536美元的國家稱為高收入國家。這個金額門檻會隨著每年的經濟景氣變動。

原油
CRUDE OIL
剛從地底抽出、未被提煉成其他製品的石油。

氣候
CLIMATE
一個地區長期的天氣狀況,和該地區與赤道和海洋的距離、自然地貌〔如高山、平原〕等因素有關。 呈正相關。

氣候變遷
CLIMATE CHANGE
地球整體或是特定區域的氣候轉變。

荒漠化
DESERTIFICATION
土地失去原有植披覆蓋,變成不毛之地的災害現象。

十一劃

國內生產毛額
GROSS DOMESTIC PRODUCT 〔簡稱GDP〕
一個國家一年中製造出來的商品和服務的價值。人均GDP則是該國居民平均每人的生產額。

基本工資
MINIMUM WAGE
根據法律,雇主給予勞工工資的最低限度。但不是所有的國家都有法律規定基本工資。自2021年1月1日起,台灣的基本時薪上調為新台幣160元,月薪則是2萬4,000元。

都市化
URBANISATION
人口從鄉間往城鎮移動與聚集、定居的過程。

貧民窟
FAVELA
「FAVELA」這個字是葡萄牙文,最早是指發展於巴西大城市裡或城市邊緣,臨時搭建的大型簡易聚落。

乾旱
DROUGHT
長時間降雨量稀少的氣候狀態。

貨幣
CURRENCY
單一國家或地區針對商品和服務的支付工具。通常是紙鈔和金屬硬幣的形式,由政府或中央銀行控管發行。

十二劃

單一作物農園
PLANTATION
大片土地上僅種植一種經濟作物,例如油棕或甘蔗。

進口
IMPORT
將外國商品和服務運入銷售到另一個國家。

森林砍伐
DEFORESTATION
指清除大片森林的舉動,通常是為了用這些林地來開發農場、礦場或城鎮。

朝聖
PILGRIMAGE
一種具有精神上意義的旅程,例如前往對個人而言信仰意義重大的宗教聖地。

智慧型手機
SMARTPHONE
能夠傳送電子郵件、連接網路、運作應用程式〔APP〕的行動電話。

十三劃

預期壽命
LIFE EXPECTANCY
預期一人能夠存活的年紀。預期壽命多取決於此人的性別、居住地點、父母的壽命和生活方式等原因。

十四劃

嘉年華會
CARNIVAL
一種在戶外舉行的公開慶祝活動,通常在基督教的大齋節期之前舉辦。信徒在大齋節期期間必須齋戒與祈禱。

十五劃

熱帶
TROPICS
在赤道兩側,位於南北回歸線之間的地球表面地帶。

遷徙
MIGRATION
動物移動到另一個區域的過程,通常是為了尋找食物、水、交配的伴侶或適合育兒的場所。

十九劃

瀕危物種
ENDANGERED SPECIES
種群數量變得極為稀少,面臨高度絕種風險的物種。

作者

雍·理查茲（Jon Richards）

擅長百科類童書題材，主題橫跨人體、科技、宇宙、生物等多元領域，
著有《資訊圖表看地球》（the World in Infographic）系列。

繪者

艾德·辛金斯（Ed Simkins）

得獎插畫家以及童書的圖像設計師，現居倫敦。
與雍·理查茲已合著多本給兒童的資訊圖表百科書。

譯者

羅凡怡

台大歷史系畢，曾任出版社編輯，現職是兩個孩子的媽，
最喜歡講故事給孩子聽。譯有《小銀魚三部曲》、
《小企鵝的祕密大冒險（史上最讓媽媽崩潰的爸爸帶娃記）》、
《愛玩，愛畫，愛上繽紛大自然》等書。